唐本

《伤寒论》

（唐）孙思邈／编录

钱超尘／校注

扫一扫

更懂唐本《伤寒论》

北京科学技术出版社

图书在版编目（CIP）数据

唐本《伤寒论》/（唐）孙思邈编录；钱超尘校注．—北京：北京科学技术出版社，2020.3（2025.1 重印）
ISBN 978－7－5304－8915－4

Ⅰ．①唐…　Ⅱ．①孙…②钱…　Ⅲ．①《伤寒论》
Ⅳ．①R222.2

中国版本图书馆 CIP 数据核字（2019）第 023389 号

编　　录：（唐）孙思邈
校　　注：钱超尘
责任编辑：吴　丹　张　洁
责任校对：贾　荣
责任印制：李　茗
出 版 人：曾庆宇
出版发行：北京科学技术出版社
社　　址：北京西直门南大街 16 号
邮政编码：100035
电话传真：0086－10－66135495（总编室）　0086－10－66113227（发行部）
网　　址：www.bkydw.cn
印　　刷：河北鑫兆源印刷有限公司
开　　本：850 mm×1168 mm　1/32
字　　数：85 千字
印　　张：4.5
版　　次：2020 年 3 月第 1 版
印　　次：2025 年 1 月第 3 次印刷
ISBN 978－7－5304－8915－4/R·2606

定　　价：**49.00 元**

前 言

唐本《伤寒论》又名孙思邈本《伤寒论》，原收于孙思邈《千金翼方》卷九、卷十。北宋绍圣三年（1096）刊行小字本《千金翼方》，元大德十一年（1307）梅溪书院翻刻之，明清时期国内已无大德翻刻本，日本多纪元简珍藏元大德翻宋本《千金翼方》两部。今以多纪元简《千金翼方》卷九、卷十为底本，将《伤寒论》内容白文录入，名唐本《伤寒论》。

唐本《伤寒论》的版本流传，古今文献有明确记载。

孙思邈《千金翼方》卷二十六曰："吾十有八，而志学于医，今年过百岁，研综经方，推究孔穴，所疑更多矣！"孙氏于百岁高龄得仲景《伤寒论》，惊喜无涯，遂录入《千金翼方》卷九、卷十，谓之《伤寒大论》。其书得自南朝梁阮孝绪《七录》。《七录》是目录学著作。《隋书·经籍志》之《医方论》"七卷下"小注曰："梁有张仲景《辨伤寒》十卷。"此小注资料来自阮孝绪《七录》。章太炎称阮孝绪著录的《辨伤寒》十卷为"梁本"。"梁本"亦有所自。晋陈延之《小品方》曰："汉末有张仲景，意思精密，善详旧效，通于往古，自此以来，未闻胜者。"陈延之据《辨伤寒》及《杂病方》撰成《小品方》十二卷。日本今存《小品方》古钞本残卷之序言及卷一。晋陈延之所据之《辨伤寒》得自王叔和《张仲景方》，则唐本《伤寒论》之祖本为《张仲景方》十五卷，于文献有徵矣。

《千金翼方》成书后，抄写流传，讹舛滋多，北宋校正医书局林亿、孙奇等校定之，于绍圣三年刊行小字本《千金翼方》，见绍圣三年国子监牒文。明代有翻刻本，讹字较多。明万历乙丑王肯堂与从侄王廷鉴据《千金翼方》三十卷翻刻本再行翻刻。王肯堂《千金翼方·序》云："《千金方》收入《道藏》，今关中、江右皆有刻，乃至宋元刻本藏书家多有之，而《翼方》不传，《道藏》亦不载，世多有不知其名者。后获《千金翼方》于故友徐士彰家，而释氏玄门千金不传之秘，前书所不及者，往往而见，于是益知此为真人晚年定本。"王肯堂《千金翼方》三十卷翻刻本今存，但唐本《伤寒论》尚未从《千金翼方》离析出来。

清代是中医古籍版本受到重视的时代。清代小学研究隆兴，而研究小学必须研究版本，故此带动了版本学的发展。清代王朴庄首次把《千金翼方》卷九、卷十离析出来并加以校注，名其书为《伤寒论注》。王朴庄在其《回澜说》一书中称，他的先祖王某是医家，认为《千金翼方》中的《伤寒论》是仲景《辨伤寒》之定本。王朴庄《伤寒论注》收于《世补斋医书后集》，由其外曾孙陆懋修校订。陆懋修云："诸家《伤寒论》注，唯外曾祖朴庄公此注为《千金翼方》定本，兹谨合

《脉经》参校。”

王朴庄，《清史稿》有传：“王丙，字朴庄，吴县人，懋修之外曾祖也，著《伤寒论注》。以唐孙思邈《千金方》仅采王叔和《伤寒论·序例》，全书载《翼方》中，次序最古，据为定本。”王朴庄将《千金翼方》卷九、卷十独立出来加以校注，对弘扬唐本《伤寒论》具有重要意义。

王朴庄后，对唐本《伤寒论》版本研究取得重大成就者有力钧和章太炎二人。力钧，字轩举，又字鼎三，号医隐，今福建永泰人，著《唐本〈伤寒论〉》，待出版。章太炎，名炳麟，字枚叔，号太炎，浙江余杭人。虽无研究唐本《伤寒论》专集，但有重要论文，见《章太炎全集》第八集“伤寒论单论本题辞”，谓孙思邈本所据底本为南朝梁阮孝绪《七录》著录的《辨伤寒》：“《千金翼方》所录《论》文《太阳篇》，则孙氏以己意编次，诚不如本书（指宋本《伤寒论》）善。检其文字，今作‘鞕’者，皆作‘坚’（《千金方》同），‘固瘕’亦作‘坚瘕’。盖孙氏所据为梁本……继冲所献、亿等所校者为隋本，故一不避隋讳，一避隋讳也。”

章太炎之说，可视为唐本《伤寒论》所据底本之定论。

孙思邈为寻求张仲景《伤寒论》几费一生心力。他六十余岁撰成《备急千金要方》三十卷。《备急千金要方》卷九为《伤寒上》，收录关于《伤寒论》者凡八节。第一节为“伤寒例”，引晋陈延之《小品方》语及王叔和、陈廪丘语，这些背景资料为研究仲景书者所当知。第二节“避温”、第三节“伤寒膏”、第四节“发汗散”均非仲景《辨伤寒》所有。第五节“发汗汤”至第九节“发汗吐下后”有少许仲景《辨伤寒》条文，但亦有非仲景条文而误收其中者，如第九节“大青汤”“知母汤”非治伤寒之方。因为“晋宋方剂，既其无继，齐梁医术，曾何足云”（孙思邈《千金翼方·序》），六朝医师视仲景之书为枕中鸿秘，不轻示人，影响了医术的发展和提高。在这种学术背景下，孙思邈感慨道：“江南诸师，秘仲景要方不传！”

唐本《伤寒论》经过孙思邈调整改编，已非张仲景《伤寒论》旧貌。改动处主要有：①将仲景《辨伤寒》“太阳病”划分为七节；②将仲景《辨伤寒》前证后方——前面是证候条文后面是方剂，调整为方证同条；③将仲景“可”与“不可”改称“宜”“忌”，删尽其中所有方剂；④将厥阴病提纲证与厥利呕哕具体病证合并为一节。唐本《伤寒论》虽非仲景旧貌，但在保存仲景《辨伤寒》古貌方面具有较大可靠性，在考察《伤寒论》版本上，具有重大意义。

唐本《伤寒论》与宋本《伤寒论》是姊妹篇，皆出王叔和《张仲景方》，二书当合参校读之。

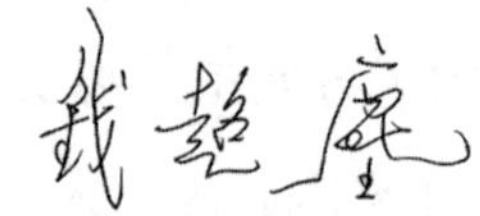

2018 年 3 月 17 日

凡 例

一、唐本《伤寒论》又称孙思邈本《伤寒论》，原收于《千金翼方》卷九、卷十，今离析之，简体录入，简加校雠，以宋本《伤寒论》为主校本。

二、本书所据底本为元大德十一年（1307）梅溪书院刻梓之《千金翼方》。元大德本《千金翼方》，我国已不存，流藏日本。今据日本多纪元简（又名丹波元简）所藏《千金翼方》卷九、卷十录入，增加标点。

三、原书竖行，今改横行，方剂服法之“右”字均改为“上”。

四、元大德本有一处“杏仁”作“杏人”，保留古代写法，弥足珍贵。如“阳明病状第八”麻子仁丸方中载有“杏人去皮尖两人者”，其方名作“仁”而药味作“人”。“人”非讹字，六朝隋唐宋之“杏人”“桃人”皆作“人”，无作“仁”者。后改为“仁”字，见《备急千金要方》卷末《影宋本千金方考异》及清代段玉裁《说文解字注》卷八“人”字注。“杏人”之“人”，一字存古，是为独珍，尤见元大德本之可贵。

五、凡宋本“鞕”字，元大德本皆作“坚”，保存隋前（含隋）《辨伤寒》古貌。

六、《伤寒论》电子版、排印版之“搏”字系讹字，明代赵开美翻宋版《伤寒论》皆作俗体“搏”（tuán），人多不识，且与“搏”字形近，乃讹为“搏”，元大德本作“搏”或作“搏”（俗体“搏”字），是，可正流行本“搏”字之讹，亦见元大德本之可贵。此字，本书皆作简体“抟”。《伤寒论》第38条青龙汤中“筋愓肉瞤”之“愓”字误。《备急千金要方》卷九第五发汗汤及成无已本均作“愓”（dàng），是也，据改。

七、唐本《伤寒论》与宋本《伤寒论》所据底本皆为六朝《辨伤寒》，上溯其源，皆出王叔和《张仲景方》。元大德本有几个讹脱之字，已随文据宋本补正。如①“阳明病状”载“香豉四各绵裹”，其中“各”字有误，宋本作“合”，据正。②“阳明病状”载“栀子蘗皮汤”，其中“蘗”误为“孽”，据宋本正。③“厥阴病状”载“烦躁，阴，厥不还者死”，其中“阴”字宋本作“灸厥阴”三字，据补。④“霍乱病状”理中汤服法“服药后，如食须，饮热粥一升”，其中“须”字宋本作“顷”，据正。

八、书中有些异体字、通假字，如併、踡、齐、写，为保存唐本《伤寒论》原貌，不予修改。

九、卷首转载北宋绍圣三年国子监牒文。

十、为方便与宋本《伤寒论》对比研究，本书于唐本《伤寒论》每条之首加上与宋本《伤寒论》相应之序号。凡宋本三阴三阳所无之条而唐本有之，则唐本条文之首不加序号。

十一、卷末附《唐本〈伤寒论〉字数为何少于宋本》《〈千金翼方〉版本简考》等文供参考。

目　　录

绍圣三年国子监牒文[①]

国子监准监关准尚书礼部符准绍圣元年六月二十五日敕，中书省尚书省送到礼部状，据国子监状，据翰林医学本监三学看治任仲言状，伏睹本监先准朝旨，开雕小字《圣惠方》等共五部出卖，并每节镇各十部，余州各五部，本处出卖。今有《千金翼方》《金匮要略方》《王氏脉经》《补注本草》《图经本草》等五件医书，日用而不可阙。本监虽见印卖，皆是大字，医人往往无钱请买，兼外州军尤不可得，欲乞开作小字，重行校对出卖，及降外州军施行。本部看详，欲依国子监申请事理施行，伏候指挥。六月二十三日奉圣旨，依奉敕如右，牒到奉行。都省前批六月二十六日未时付礼部施行。仍关合属去处主者，一依敕命指挥施行。

绍圣三年六月　　日雕

集庆军节度使推官监国子监书库向宗恕

承务郎监国子监书库曾繰

---

① 绍圣三年国子监牒文：此牒文据覆刻南宋何大任本《脉经》转载。标题为本书校注者所加。

延安府临真县令监国子监书库邓平

颍川万寿县令监国子监书库郭直卿

宣义郎国子监主簿王仲巍

通直郎国子监丞武骑尉谭宗益

朝散郎守国子监司业上轻车都尉赐绯鱼袋赵挺之

朝奉郎守国子司业兼侍讲云骑尉龚原

《千金翼方》卷第九

伤 寒 上

论曰：伤寒热病，自古有之。名贤濬哲，多所防御，至于仲景，特有神功。寻思旨趣，莫测其致，所以医人未能钻仰。尝见太医疗伤寒，惟大青、知母等诸冷物投之，极与仲景本意相反。汤药虽行，百无一效。伤其如此，遂披伤寒大论，鸠集要妙，以为其方行之以来，未有不验。旧法方证，意义幽隐，乃令近智所迷，览之者造次难悟，中庸之士，绝而不思，故使闾里之中，岁致夭枉之痛，远想令人慨然无已。今以方证同条，比类相附，须有检讨，仓卒易知。夫寻方之大意，不过三种：一则桂枝，二则麻黄，三则青龙。此之三方，凡疗伤寒，不出之也。其柴胡等诸方，皆是吐下发汗后不解之事，非是正对之法，术数未深，而天下名贤，止而不学，诚可悲夫！又有仆隶卑下，冒犯风寒，天行疫疠，先被其毒，悯之酸心！聊述兹意，为之救法。方虽是旧，弘之惟新。好古君子，嘉其博济之利，无嗤诮焉。

太阳病用桂枝汤法第一

五十七证　方五首

论曰：伤寒与痓病、湿病及热暍相滥，故叙而论之。

太阳病，发热无汗，而反恶寒，是为刚痓。

太阳病，发热汗出，而不恶寒，是为柔痓一云恶寒。

太阳病，发热，其脉沉细，是为痓。

太阳病，发其汗，因致痓。

病者，身热足寒，颈项强，恶寒，时头热面赤，目脉赤，独头动摇，是为痓。

上件痓状

太阳病，而关节疼烦，其脉沉缓，为中湿。

病者一身尽疼烦，日晡即剧，此为风湿，汗出所致也。

湿家之为病，一身尽疼，发热，而身色似熏黄也。

湿家之为病，其人但头汗出而背强，欲得被覆，若下之早，即哕，或胸满，小便利，舌上如胎，此为丹田有热，胸上有寒，渴欲饮则不能饮，而口燥也。

湿家下之，额上汗出，微喘，小便利者死，下利不止者，亦死。

问曰：病风湿相抟，身体疼痛，法当汗出而解，值天阴雨，溜下不止，师云此可发汗，而其病不愈者，何故？答曰：发其汗，汗大出者，但风气去，湿气续在，是故不愈。若治风湿者，发其汗，微微似欲出汗者，则风湿俱去也。

病人喘，头痛鼻窒而烦，其脉大，自能饮食，腹中独和，无病，病在头，中寒湿，故鼻窒，内药鼻中，即愈。

上件湿状

太阳中热，暍是也，其人汗出，恶寒，身热而渴也。

太阳中暍，身热疼重，而脉微弱，此以夏月伤冷水，水行皮肤中也。

太阳中暍，发热恶寒，身重而疼痛，其脉弦细芤迟，小便已，洗然手足逆冷，小有劳热，口前开，板齿燥，若发其汗，恶寒则甚，加温针，发热益甚，数下之，淋复甚。

上件暍状

1. 太阳之为病，头项强痛而恶寒。

1. 太阳病，其脉浮。

2. 太阳病，发热汗出而恶风，其脉缓，为中风。

太阳中风，发热而恶寒。

太阳病，三四日不吐下，见芤乃汗之。

7. 夫病有发热而恶寒者，发于阳也；不热而恶寒者，发于阴也。发于阳者七日愈，发于阴者六日愈。以阳数七，阴数六故也。

8. 太阳病，头痛，至七日以上自愈者，其经竟故也。若欲作再经者，针足阳明，使经不传则愈。

9. 太阳病欲解时，从巳尽未。

10. 风家表解而不了了者，十二日愈。

12. 太阳中风，阳浮而阴濡弱，浮者热自发，濡弱者汗自出，涩涩恶寒，淅淅恶风，翕翕发热，鼻鸣干呕者，桂枝汤主之。

95. 太阳病，发热汗出，此为荣弱卫强，故使汗出，以救邪风，桂枝汤主之。

13. 太阳病，头痛发热，汗出恶风，桂枝汤主之。

14. 太阳病，项背强几几，而反汗出恶风，桂枝汤主之。本论云桂枝加葛根汤。

15. 太阳病，下之，其气上冲，可与桂枝汤，不冲，不可与之。

16. 太阳病三日，已发汗吐下温针而不解，此为坏病，桂枝汤复不中与也，观其脉证，知犯何逆，随证而治之。

16. 桂枝汤本为解肌，其人脉浮紧，发热无汗，不可与也，常识此，勿令误也。

17. 酒客不可与桂枝汤，得之则呕，酒客不喜甘故也。

18. 喘家作桂枝汤，加厚朴杏仁佳。

19. 服桂枝汤吐者，其后必吐脓血。

24. 太阳病，初服桂枝汤，而反烦不解者，当先刺风池风府，乃却与桂枝汤，则愈。

42. 太阳病，外证未解，其脉浮弱，当以汗解，宜桂枝汤。

43. 太阳病，下之微喘者，表未解故也，宜桂枝汤一云麻黄汤。

44. 太阳病，有外证未解，不可下之，下之为逆，解外宜桂枝汤。

45. 太阳病，先发汗不解而下之，其脉浮，不愈，浮为在外，而反下之，故令不愈。今脉浮，故在外，当解其外则愈，宜桂枝汤。

53. 病常自汗出，此为荣气和卫气不和故也。荣行脉中，卫行脉外，复发其汗，卫和则愈。宜桂枝汤。

54. 病人藏无他病，时发热，自汗出而不愈，此卫气不和也，先其时发汗愈，宜桂枝汤。

56. 伤寒，不大便六七日，头痛有热，与承气汤，其大便反青，此为不在里故在表也，当发其汗，头痛者必衄，宜桂枝汤。

57. 伤寒，发汗已解，半日许复烦，其脉浮数，可复发其汗，宜服桂枝汤。

91. 伤寒，医下之后，身体疼痛，清便自调，急当救表，宜桂枝汤。

94. 太阳病未解，其脉阴阳俱停，必先振汗出而解，但阳微者，先汗之而解，宜桂枝汤。

106. 太阳病未解，热结膀胱，其人如狂，其血必自下，下者即愈。其外未解，尚未可攻，当先解其外，宜桂枝汤。

164. 伤寒大下后复发汗，心下痞，恶寒者，不可攻痞，当先解表，宜桂枝汤。

·桂枝汤方

桂枝　芍药　生姜各二两，切　甘草二两，炙　大枣十二枚，擘

上五味,㕮咀三味，以水七升，微火煮取三升，去滓，温服一升，须臾饮热粥一升余，以助药力，温覆，令汗出一时许益善。若不汗，再服如前，复不汗，后服小促其间，令半日许三服。病重者，一日一夜乃差，当晬时观之，服一剂汤，病证犹在，当复作服之，至有不汗出，当服三剂乃解。

20. 太阳病，发其汗，遂漏而不止，其人恶风，小便难，四肢微急，难以屈伸，桂枝加附子汤主之。桂枝中加附子一枚，炮，即是。

21. 22. 太阳病下之，其脉促胸满者，桂枝去芍药汤主之。若微寒者，桂枝去芍药加附子汤主之。桂枝去芍药中加附子一枚，即是。

23. 太阳病，得之八九日，如疟，发热而恶寒，热多而寒少，其人不呕，清便欲自可，一日再三发，其脉微缓者为欲

愈，脉微而恶寒者，此为阴阳俱虚，不可复吐下发汗也。面色反有热者，为未欲解，以其不能得汗出，身必当痒，桂枝麻黄各半汤主之。

桂枝一两十六铢　芍药　生姜切　甘草炙　麻黄去节，各一两　大枣四枚，擘　杏仁二十四枚，去皮尖两仁者

上七味，以水五升，先煮麻黄一二沸，去上沫，内诸药，煮取一升八合，去滓，温服六合。本云桂枝汤三合，麻黄汤三合，并为六合，顿服。

25. 服桂枝汤，大汗出，若脉洪大，与桂枝汤，其形如疟，一日再发，汗出便解，宜桂枝二麻黄一汤。

·方

桂枝一两十七铢　麻黄十六铢　生姜切　芍药各一两六铢　甘草一两二铢，炙　大枣五枚，擘　杏仁十六枚，去皮尖两仁者

上七味，以水七升，煮麻黄一二沸，去上沫，内诸药，煮取二升，去滓，温服一升，日再服。本云桂枝汤二分，麻黄汤一分，合为二升，分二服，今合为一方。

27. 太阳病，发热恶寒，热多寒少，脉微弱，则无阳也，不可发汗，桂枝二越婢一汤主之。

·方

桂枝　芍药　甘草炙　麻黄去节，各十八铢　生姜一两三铢，切

石膏二十四铢，碎　大枣四枚，擘

上七味，以水五升，先煮麻黄一二沸，去上沫，内诸药，煮取二升，去滓，温服一升。本云当裁为越婢汤，桂枝合之饮一升，今合为一方，桂枝汤二分。

28. 服桂枝汤下之，颈项强痛，翕翕发热无汗，心下满微痛，小便不利，桂枝去桂，加茯苓白术汤主之。

·方

茯苓　白术各三两

上于桂枝汤中惟除去桂枝一味，加此二味为汤，服一升，小便即利。本云桂枝汤，今去桂枝加茯苓白术。

太阳病用麻黄汤法第二

一十六证　方四首

3. 太阳病，或已发热，或未发热，必恶寒体痛呕逆，脉阴阳俱紧，为伤寒。

伤寒一日，太阳脉弱，至四日太阴脉大。

4. 伤寒一日，太阳受之，脉若静者为不传，颇欲呕，若躁烦，脉数急者，乃为传。

5. 伤寒，其二阳证不见，此为不传。

而烦，大青龙汤主之。若脉微弱，汗出恶风者，不可服之，服之则厥，筋惕肉瞤，此为逆也。

·方

麻黄去节，六两　桂枝二两　甘草二两，炙　杏仁四十枚，去皮尖两仁者　生姜三两，切　大枣十枚，擘　石膏如鸡子大，碎，绵裹

上七味，以水九升，先煮麻黄，减二升，去上沫，内诸药，煮取三升，去滓，温服一升，取微似汗，汗出多者，温粉粉之，一服汗者，勿再服。若复服，汗出多，亡阳，逆虚，恶风，躁，不得眠。

39. 伤寒，脉浮缓，其身不疼，但重，乍有轻时，无少阴证者，可与大青龙汤发之。用上方。

40. 伤寒表不解，心下有水气，咳而发热，或渴，或利，或噎，或小便不利，少腹满，或喘者，小青龙汤主之。

·方

麻黄去节，三两　芍药　细辛　干姜　甘草炙　桂枝各三两　五味子　半夏各半升，洗

上八味，以水一斗，先煮麻黄，减二升，去上沫，内诸药，煮取三升，去滓，温服一升。渴则去半夏，加栝楼根三两；微利者，去麻黄，加荛花一鸡子大，熬令赤色；噎者，去麻黄，加附子一枚，炮；小便不利，少腹满，去麻黄，加茯苓

四两；喘者，去麻黄，加杏仁半升，去皮。

41. 伤寒，心下有水气，咳而微喘，发热不渴，服汤已而渴者，此为寒去，为欲解，小青龙汤主之。用上方。

太阳病用柴胡汤法第四

一十五证 方七首

97. 血弱气尽，腠理开，邪气因入，与正气相抟①，在于胁下，正邪分争，往来寒热，休作有时，嘿嘿不欲食饮，藏腑相连，其痛必下，邪高痛下，故使其呕，小柴胡汤主之。服柴胡而渴者，此为属阳明，以法治之。

98. 得病六七日，脉迟浮弱，恶风寒，手足温，医再三下之，不能食，其人胁下满痛，面目及身黄，颈项强，小便难，与柴胡汤，后必下重。本渴，饮水而呕，柴胡复不中与也，食谷者哕。

99. 伤寒四五日，身体热，恶风，颈项强，胁下满，手足温而渴，小柴胡汤主之。

100. 伤寒，阳脉涩，阴脉弦，法当腹中急痛，先与小建中汤，不差，与小柴胡汤。小建中汤见杂疗门中。

---

① 抟：元大德本作繁体“摶”字，甚是。

101. 伤寒中风，有柴胡证，但见一证便是，不必悉具也。凡柴胡汤证而下之，柴胡证不罢，复与柴胡汤解者，必蒸蒸而振，却发热汗出而解。伤寒五六日，中风往来寒热，胸胁苦满，嘿嘿不欲饮食，心烦喜呕，或胸中烦，而不呕，或渴，或腹中痛，或胁下痞坚，或心下悸，小便不利，或不渴，外有微热，或咳，小柴胡汤主之。

柴胡八两　黄芩　人参　甘草炙　生姜各三两，切　半夏半升，洗　大枣十二枚，擘

上七味，以水一斗二升，煮取六升，去滓，再煎，温服一升，日三。若胸中烦不呕者，去半夏、人参，加栝楼实一枚；渴者，去半夏，加人参，合前成四两半；腹中痛者，去黄芩，加芍药三两；胁下痞坚者，去大枣，加牡蛎六两；心下悸，小便不利者，去黄芩，加茯苓四两；不渴，外有微热者，去人参，加桂三两，温覆微发其汗；咳者，去人参、大枣、生姜，加五味子半升，干姜二两。

148. 伤寒五六日，头汗出，微恶寒，手足冷，心下满，口不欲食，大便坚，其脉细，此为阳微结，必有表，复有里。沉则为病在里，汗出亦为阳微，假令纯阴结，不得有外证，悉入在于里，此为半在外半在里，脉虽沉紧，不得为少阴。所以然者，阴不得有汗，今头大汗出，故知非少阴也。可与柴胡汤，设不了了者，得屎而解。用上方。

104. 伤寒十三日不解，胸胁满而呕，日晡所发潮热而微

利，此本当柴胡，下之不得利，今反利者，故知医以丸药下之，非其治也。潮热者实也，先再服小柴胡汤，以解其外，后以柴胡加芒消汤主之。

·方

柴胡二两十六铢　黄芩　人参　甘草炙　生姜各一两，切　半夏一合　大枣四枚，擘　芒硝二两

上七味，以水四升，煮取二升，去滓，温分再服，以解其外，不解更作。柴胡加大黄芒消桑螵蛸汤。

·方

上以前七味，以水七升，下芒消三合，大黄四分，桑螵蛸五枚，煮取一升半，去滓，温服五合，微下即愈。本云柴胡汤，再服以解其外，余二升，加芒消、大黄、桑螵蛸也。

107. 伤寒八九日，下之，胸满烦惊，小便不利，谵语，一身不可转侧，柴胡加龙骨牡蛎汤主之。

·方

柴胡四两　黄芩　人参　生姜切　龙骨　牡蛎熬　桂枝　茯苓　铅丹各一两半　大黄二两　半夏一合半，洗　大枣六枚，擘

上一十二味，以水八升，煮取四升，内大黄，切如棋子大，更煮一两沸，去滓，温服一升。本云柴胡汤，今加龙

骨等。

146. 伤寒六七日，发热，微恶寒，支节烦疼，微呕，心下支结，外证未去者，宜柴胡桂枝汤。

发汗多，亡阳狂语者，不可下，以为可与柴胡桂枝汤，和其荣卫，以通津液，后自愈。

·方

柴胡四两　黄芩　人参　生姜切　桂枝　芍药各一两半　半夏二合半，洗　甘草一两，炙　大枣六枚，擘

上九味，以水六升，煮取二升，去滓，温服一升。本云人参汤，作如桂枝法，加柴胡、黄芩，复如柴胡法。今用人参作半剂。

147. 伤寒五六日，其人已发汗而复下之，胸胁满微结，小便不利，渴而不呕，但头汗出，往来寒热而烦，此为未解，柴胡桂枝干姜汤主之。

·方

柴胡八两　桂枝三两　干姜二两　栝楼根四两　黄芩三两　牡蛎二两，熬　甘草二两，炙

上七味，以水一斗二升，煮取六升，去滓更煎，温服一升，日二服。初服微烦，汗出愈。

103. 太阳病，过经十余日，反再三下之，后四五日，柴

胡证续在，先与小柴胡汤，呕止小安，其人郁郁微烦者，为未解，与大柴胡汤下者止。

136. 伤寒十余日，邪气结在里，欲①复往来寒热，当与大柴胡汤。

165. 伤寒发热，汗出不解，心中痞坚，呕吐下利者，大柴胡汤主之。

257. 病人表里无证，发热七八日，虽脉浮数，可下之，宜大柴胡汤。

·方

柴胡八两　枳实四枚，炙　生姜五两，切　黄芩三两　芍药三两　半夏半升，洗　大枣十二枚，擘

上七味，以水一斗二升，煮取六升，去滓，更煎，温服一升，日三服。一方加大黄二两，若不加，恐不名大柴胡汤。

太阳病用承气汤法第五

九证　方四首

70. 发汗后，恶寒者，虚故也；不恶寒，但热者，实也，

① 欲：宋本无“欲”字。

当和其胃气，宜小承气汤。

94. 太阳病未解，其脉阴阳俱停，必先振汗出而解，但阳微者，先汗出而解，阴微者，先下之而解，宜承气汤一云大柴胡汤。

105. 伤寒十三日，过经而谵语，内有热也，当以汤下之。小便利者，大便当坚而反利，其脉调和者，知医以丸药下之，非其治也。自利者，其脉当微厥，今反和者，此为内实，宜承气汤。

123. 太阳病，过经十余日，心下温温欲吐，而胸中痛，大便反溏，其腹微满，郁郁微烦，先时自极吐下者，宜承气汤。

220. 二阳并病，太阳证罢，但发潮热，手足漐漐汗出，大便难，谵语者，下之愈，宜承气汤。

248. 太阳病三日，发其汗不解，蒸蒸发热者，调胃承气汤主之。

249. 伤寒吐后，腹满者，承气汤主之。

250. 太阳病，吐下发汗后，微烦，小便数，大便因坚，可与小承气汤，和之则愈。

· 承气汤方

大黄四两　厚朴八两，炙　枳实五枚，炙　芒消三合

上四味，以水一斗，先煮二味，取五升，内大黄，更煮取

二升，去滓，内芒消，更煎一沸，分再服，得下者止。

·又方

大黄四两　厚朴二两，炙　枳实大者三枚，炙

上三味，以水四升，煮取一升二合，去滓，分温再服，初服谵语即止，服汤当更衣，不尔，尽服之。

·又方

大黄四两　甘草二两，炙　芒消半两

上三味，以水三升，煮取一升，去滓，内芒消，更一沸，顿服。

106. 太阳病不解，热结膀胱，其人如狂，血自下，下者即愈，其外不解，尚未可攻，当先解其外。外解，少腹急结者，乃可攻之，宜桃核承气汤。

·方

桃仁五十枚，去皮尖　大黄四两　桂枝二两　甘草二两，炙　芒消一两

上五味，以水七升，煮取二升半，去滓，内芒消，更煎一沸，分温三服。

太阳病用陷胸汤法第六

三十一证　方一十六首

128. 129. 130. 问曰：病有结胸，有藏结，其状何如？答曰：按之痛，其脉寸口浮，关上自沉，为结胸。何谓藏结？曰：如结胸状，饮食如故，时下利，阳脉浮，关上细沉而紧，名为藏结。舌上白胎滑者，为难治。藏结者，无阳证，不往来寒热，其人反静，舌上胎滑者，不可攻也。

131. 夫病发于阳，而反下之，热入，因作结胸；发于阴，而反汗之，因作痞。结胸者，下之早，故令结胸。结胸者，其项亦强，如柔痓状，下之即和，宜大陷胸丸。

132. 结胸证，其脉浮大，不可下之，下之即死。

133. 结胸证悉具，烦躁者死。

134. 太阳病，脉浮而动数，浮则为风，数则为热，动则为痛，数则为虚。头痛发热，微盗汗出，而反恶寒，其表未解，医反下之，动数则迟，头痛即眩，胃中空虚，客气动膈，短气躁烦，心中懊憹，阳气内陷，心下因坚，则为结胸，大陷胸汤主之。若不结胸，但头汗出，其余无汗，齐颈而还，小便不利，身必发黄。

135. 伤寒六七日，结胸热实，脉沉紧，心下痛，按之如石坚，大陷胸汤主之。

136. 但结胸，无大热，此为水结在胸胁，头微汗出，大陷胸汤主之。

137. 太阳病，重发汗而复下之，不大便五六日，舌上燥而渴，日晡如小有潮热，从心下至少腹，坚满而痛不可近，大陷胸汤主之。若心下满而坚痛者，此为结胸，大陷胸汤主之。

·大陷胸丸方

大黄八两　葶苈子熬　杏仁去皮尖两仁者　芒消各半升

上四味和捣，取如弹丸一枚，甘遂末一钱匕、白蜜一两、水二升合煮，取一升，温顿服，一宿乃下。

·大陷胸汤方

大黄六两　甘遂末一钱匕　芒消一升

上三味，以水六升，先煮大黄，取二升，去滓，内芒消，煎一两沸，内甘遂末，分再服，一服得快利，止后服。

138. 小结胸者，正在心下，按之即痛，其脉浮滑，小陷胸汤主之。

黄连一两　半夏半升，洗　栝楼实大者一枚

上三味，以水六升，先煮栝楼，取三升，去滓，内诸药，煮取二升，去滓，分温三服。

139. 太阳病，二三日不能卧，但欲起者，心下必结，其脉微弱者，此本寒也，而反下之，利止者，必结胸；未止者，四五日复重下之，此为挟热利。

150. 太阳少阳并病，而反下之，结胸，心下坚，下利不复止，水浆不肯下，其人必心烦。

141. 病在阳，当以汗解，而反以水噀之，若灌之，其热却不得去，益烦，皮粟起，意欲饮水，反不渴，宜服文蛤散。

·方

文蛤五两

上一味，捣为散，以沸汤五合，和服一方寸匕，若不差，与五苓散。

·五苓散方

猪苓十八铢，去黑皮　白术十八铢　泽泻一两六铢　茯苓十八铢　桂枝半两

上五味，各为散，更于臼中治之，白饮和服方寸匕，日三服，多饮暖水，汗出愈。

141. 寒实结胸，无热证者，与三物小白散。

·方

桔梗十八铢　巴豆六铢，去皮心，熬赤黑，研如脂　贝母十八铢

上三味，捣为散，内巴豆，更于臼中治之，白饮和服，强

人半钱匕，羸者减之。病在上则吐，在下则利，不利，进热粥一杯，利不止，进冷粥一杯。一云冷水一杯，身热，皮粟不解，欲引衣自覆，若以水噀之洗之，更益令热，却不得出，当汗而不汗即烦，假令汗出已，腹中痛，与芍药三两，如上法。

142. 太阳与少阳并病，头痛，或眩冒如结胸，心下痞而坚，当刺肺俞、肝俞、大椎第一间，慎不可发汗，发汗即谵语，谵语则脉弦。五日谵语不止，当刺期门。

149. 心下但满而不痛者，此为痞，半夏泻心汤主之。

半夏半升，洗　黄芩　干姜　人参　甘草各三两，炙　黄连一两　大枣十二枚，擘

上七味，以水一斗，煮取六升，去滓，温服一升，日三服。

151. 脉浮紧而下之，紧反入里，则作痞，按之自濡，但气痞耳。

152. 太阳中风，吐下呕逆，表解乃可攻之，其人漐漐汗出，发作有时，头痛，心下痞坚满，引胁下，呕即短气，此为表解，里未和，十枣汤主之。

·方

芫花熬　甘遂　大戟各等分

上三味，捣为散，以水一升五合，先煮大枣十枚，取八合，去枣，强人内药末一钱匕，羸人半钱匕，温服，平旦服。

若下少不利者，明旦更服，加半钱，得快下，糜粥自养。

153. 太阳病，发其汗，遂发热恶寒，复下之，则心下痞，此表里俱虚，阴阳气并竭，无阳则阴独，复加烧针，胸烦，面色青黄，肤瞤，此为难治。今色微黄，手足温者，愈。

154. 心下痞，按之自濡，关上脉浮者，大黄黄连泻心汤主之。

·方

大黄二两　黄连一两

上二味，以麻沸汤二升渍之，须臾去滓，分温再服。此方必有黄芩。

155. 心不痞，而复恶寒汗出者，附子泻心汤主之。

·方

附子一枚，炮，别煮，取汁　大黄二两　黄连　黄芩各一两

上四味，以麻沸汤二升渍之，须臾去滓，内附子汁，分温再服。

156. 本以下之，故心下痞，与之泻心，其痞不解，其人渴而口燥烦，小便不利者，五苓散主之。一方言忍之一日乃愈。用上方。

157. 伤寒汗出，解之后，胃中不和，心下痞坚，干噫食臭，胁下有水气，腹中雷鸣而利，生姜泻心汤主之。

·方

生姜四两，切　半夏半升，洗　干姜一两　黄连一两　人参　黄芩　甘草各三两，炙　大枣十二枚，擘

上八味，以水一斗，煮取六升，去滓，温服一升，日三服。

158. 伤寒中风，医反下之，其人下利，日数十行，谷不化，腹中雷鸣，心下痞坚而满，干呕而烦，不能得安，医见心下痞，为①病不尽，复重下之，其痞益甚，此非结热，但胃中虚，客气上逆，故使之坚，甘草泻心汤主之。

·方

甘草四两，炙　黄芩　干姜各三两　黄连一两　半夏半升，洗　大枣十二枚，擘

一方有人参三两。

上六味，以水一斗，煮取六升，去滓，温服一升，日三服。

159. 伤寒，服汤药，下利不止，心下痞坚，服泻心汤，复以他药下之，利不止，医以理中与之，而利益甚。理中治中焦，此利在下焦，赤石脂禹余粮汤主之。

---

① 为：宋本作“谓”。

·方

赤石脂一斤，碎　太一禹余粮一斤，碎

上二味，以水六升，煮取二升，去滓，分温三服，若不止，当利小便。

160. 伤寒，吐、下、发汗，虚烦，脉甚微，八九日心下痞坚，胁下痛，气上冲喉咽，眩冒、经脉动惕者，久而成痿。

161. 伤寒发汗吐下解后，心下痞坚，噫气不除者，旋复代赭汤主之。

·方

旋复花三两　人参二两　生姜五两，切　代赭一两，碎　甘草三两，炙　半夏半升，洗　大枣十二枚，擘

上七味，以水一斗，煮取六升，去滓，温服一升，日三服。

163. 太阳病，外证未除，而数下之，遂挟热而利不止，心下痞坚，表里不解，桂枝人参汤主之。

·方

桂枝四两，别切　甘草四两，炙　白术　人参　干姜各二两

上五味，以水九升，先煮四味，取五升，去滓，内桂，更煮取三升，去滓，温服一升，日再，夜一服。

164. 伤寒，大下后，复发其汗，心下痞，恶寒者，表未解也。不可攻其痞，当先解表，表解，乃攻其痞，宜大黄黄连泻心汤。用上方。

166. 病如桂枝证，头项不强痛，脉微浮，胸中痞坚，气上冲喉咽，不得息，此为胸有寒，当吐之，宜瓜蒂散方。

瓜蒂熬　赤小豆各一分

上二味，捣为散，取半钱匕，豉一合，汤七合渍之，须臾去滓，内散汤中和，顿服之。若不吐，稍加之，得快吐止。诸亡血虚家，不可与瓜蒂散。

太阳病杂疗法第七

二十证　方一十三首

74. 中风发热，六七日不解而烦，有表里证，渴欲饮水，水入而吐，此为水逆，五苓散主之。方见结胸门中。

102. 伤寒二三日，心中悸而烦者，小建中汤主之。

·方

桂枝三两　甘草二两，炙　芍药六两　生姜三两，切　大枣十一枚，擘　胶饴一升

上六味，以水七升，煮取三升，去滓，内饴，温服一升。

呕家不可服，以甘故也。

112. 伤寒脉浮，而医以火迫劫之，亡阳惊狂，卧起不安，桂枝去芍药加蜀漆牡蛎龙骨救逆汤主之。

·方

桂枝　生姜切　蜀漆各三两，洗去腥　甘草二两，炙　牡蛎五两，熬　龙骨四两　大枣十二枚，擘

上七味，以水八升，先煮蜀漆，减二升，内诸药，煮取三升，去滓，温服一升。一法以水一斗二升煮取五升。

117. 烧针，令其汗，针处被寒，核起而赤者，必发奔豚，气从少腹上冲者，灸其核上一壮，与桂枝加桂汤。

·方

桂枝五两　芍药　生姜各三两　大枣十二枚，擘　甘草二两，炙

上五味，以水七升，煮取三升，去滓，温服一升。本云桂枝汤，今加桂满五两。所以加桂者，以能泄奔豚气也。

118. 火逆下之，因烧针烦躁者，桂枝甘草龙骨牡蛎汤主之。

·方

桂枝一两　甘草　龙骨　牡蛎各二两，熬

上四味，以水五升，煮取二升，去滓，温服八合，日

三服。

119. 伤寒，加温针必惊。

124. 太阳病，六七日出①，表证续在，脉微而沉，反不结胸，其人发狂者，以热在下焦，少腹坚满，小便自利者，下血乃愈。所以然者，以太阳随经，瘀热在里故也，宜下之，以抵当汤。

126. 太阳病，身黄，脉沉结，少腹坚，小便不利者，为无血；小便自利，其人如狂者，血证谛也，抵当汤主之。

126. 伤寒有热，少腹满，应小便不利，今反利者，为有血也，当须下之，不可余药，宜抵当丸。

·抵当汤方

大黄二两，破六片　桃仁二十枚，去皮尖，熬　虻虫去足翅，熬　水蛭各十枚，熬

上四味，以水五升，煮取三升，去滓，温服一升，不下更服。

·抵当丸方

大黄三两　桃仁二十五枚，去皮尖，熬　虻虫去足翅，熬　水蛭各二十枚，熬

---

① 出：宋本无“出”字。

上四味捣，分为四丸，以水一升煮一丸，取七合服，晬时当下，不下更服。

143. 妇人中风，发热恶寒，经水适来，得七八日，热除而脉迟，身凉，胸胁下满，如结胸状，谵语，此为热入血室，当刺期门，随其虚实而取之。

144. 妇人中风，七八日续得寒热，发作有时，经水适断者，此为热入血室，其血必结，故使如疟状，发作有时，小柴胡汤主之。方见柴胡汤门。

145. 妇人伤寒，发热，经水适来，昼日了了，暮则谵语，如见鬼状，此为热入血室，无犯胃气，及上二焦，必当自愈。

169. 伤寒，无大热，口燥渴而烦，其背微恶寒，白虎汤主之。

170. 伤寒，脉浮、发热、无汗，其表不解，不可与白虎汤。渴欲饮水，无表证，白虎汤主之。

176. 伤寒脉浮滑，此以表有热，里有寒，白虎汤主之。

·方

知母六两　石膏一斤，碎　甘草二两，炙　粳米六合

上四味，以水一斗，煮米熟汤成，去滓，温服一升，日三服。

·又方

知母六两　石膏一斤，碎　甘草二两，炙　人参三两　粳米六合

上五味，以水一斗，煮米熟汤成，去滓，温服一升，日三服。立夏后至立秋前得用之，立秋后不可服。春三月，病常苦里冷，白虎汤亦不可与之，与之即呕利而腹痛。诸亡血及虚家亦不可与白虎汤，得之则腹痛而利，但当温之。

172. 太阳与少阳合病，自下利者，与黄芩汤；若呕者，与黄芩加半夏生姜汤。

·黄芩汤方

黄芩三两　芍药　甘草各二两，炙　大枣一十二枚，擘

上四味，以水一斗，煮取三升，去滓，温服一升，日再，夜一服。

·黄芩加半夏生姜汤方

半夏半升，洗　生姜一两半，切

上二味，加入前方中即是。

173. 伤寒胸中有热，胃中有邪气，腹中痛，欲呕吐，黄连汤主之。

·方

黄连　甘草炙　干姜　桂枝　人参各三两　半夏半升，洗　大

枣十二枚，擘

上七味，以水一斗，煮取六升，去滓，温分五服，昼三夜二服。

174. 伤寒八九日，风湿相抟，身体疼烦，不能自转侧，不呕不渴，下已，脉浮而紧，桂枝附子汤主之。若其人大便坚，小便自利，术附子汤主之。

·方

桂枝四两 附子三枚，炮 生姜三两，切 大枣十二枚，擘 甘草二两，炙

上五味，以水六升，煮取二升，去滓，分温三服。

术附子汤方，于前方中去桂，加白术四两即是。一服觉身痹，半日许复服之尽，其人如冒状，勿怪，即是附子、术併走皮中逐水气，未得除，故使之耳。法当加桂四两，以大便坚，小便自利，故不加桂也。

175. 风湿相抟，骨节疼烦，掣痛，不得屈伸，近之则痛剧，汗出短气，小便不利，恶风，不欲去衣，或身微肿，甘草附子汤主之。

·方

甘草二两，炙 附子二枚，炮 白术三两 桂枝四两

上四味，以水六升，煮取三升，去滓，温服一升，日三

服。初得微汗即止；能食，汗止复烦者，将服五合；恐一升多者，后服六七合愈。

177. 伤寒脉结代，心动悸，炙甘草汤主之。

·方

甘草四两，炙　桂枝　生姜各三两，切　麦门冬去心，半升　麻子仁半升　人参　阿胶各二两　大枣三十枚，擘　生地黄一斤，切

上九味，以清酒七升，水八升，煮取三升，去滓，内胶，消烊尽，温服一升，日三服。

阳明病状第八

七十五证　方一十一首

180. 阳明之为病，胃中寒是也。

179. 问曰：病有太阳阳明，有正阳阳明，有微阳阳明，何谓也？答曰：太阳阳明者，脾约是也；正阳阳明者，胃家实是也；微阳阳明者，发其汗，若利其小便，胃中燥、便难是也。

181. 问曰：何缘得阳明病？答曰：太阳病，发其汗，若下之，亡其津液，胃中干燥，因为阳明，不更衣而便难，复为阳明病也。

182. 问曰：阳明病，外证云何？答曰：身热汗出，而不恶寒，但反恶热。

183. 184. 问曰：病有得之一日，发热恶寒者何？答曰：然，虽二日，恶寒自罢，即汗出恶热也。曰：恶寒何故自罢？答曰：阳明处中主土，万物所归，无所复传，故始虽恶寒，二日自止，是为阳明病。

185. 太阳初得病时，发其汗，汗先出，复不彻，因转属阳明。

185. 病发热，无汗，呕不能食，而反汗出濈濈然，是为转在阳明。

186. 伤寒三日，阳明脉大。

187. 病脉浮而缓，手足温，是为系在太阴，太阴当发黄，小便自利者，不能发黄，至七八日而坚，为属阳明。

188. 伤寒传系阳明者，其人濈然后汗出。

189. 阳明中风，口苦咽干，腹满微喘，发热恶寒，脉浮若紧，下之则腹满，小便难也。

190. 阳明病，能食为中风，不能食为中寒。

191. 阳明病，中寒不能食，而小便不利，手足濈然汗出，此为欲作坚瘕也，必头坚后溏。所以然者，胃中冷，水谷不别故也。

192. 阳明病，初为欲食之，小便反不数，大便自调，其人骨节疼，翕翕如有热状，奄然发狂，濈然汗出而解，此为水不胜谷气，与汗共并，坚者即愈。

193. 阳明病，欲解时，从申尽戌。

194. 阳明病，不能食，下之不解，其人不能食，攻其热必哕。所以然者，胃中虚冷故也，其人本虚，攻其热必哕。

195. 阳明病，脉迟，食难用饱，饱即微烦头眩者，必小便难，此欲作谷疸，虽下之，其腹必满如故耳。所以然者，脉迟故也。

196. 阳明病，久久而坚者，阳明病当多汗，而反无汗，其身如虫行皮中之状，此为久虚故也。

197. 冬阳明病，反无汗，但小便利，二三日呕而咳，手足若厥者，其人头必痛；若不呕不咳手足不厥者，头不痛。

198. 冬阳明病，但头眩，不恶寒，故能食而咳者，其人咽必痛，若不咳者，咽不痛。

201. 阳明病，脉浮而紧，其热必潮，发作有时，但浮者，必盗汗出。

199. 阳明病，无汗，小便不利，心中懊侬，必发黄。

200. 阳明病，被火，额上微汗出，而小便不利，必发黄。

202. 阳明病，口燥，但欲漱水，不欲咽者，必衄。

203. 阳明病，本自汗出，医复重发其汗，病已差，其人微烦不了了，此大便坚也，必亡津液，胃中燥，故令其坚。当问小便日几行，若本日三四行，今日再行者，必知大便不久出。今为小便数少，津液当还入胃中，故知必当大便也。

夫病阳多者热，下之则坚，汗出多极，发其汗亦坚。

204. 伤寒呕多，虽有阳明证，不可攻也。

205. 阳明病，当心下坚满，不可攻之，攻之遂利不止者，利止者愈。

206. 阳明病，合色赤，不可攻之，必发热，色黄者，小便不利也。

207. 阳明病，不吐下而烦者，可与承气汤。

208. 阳明病，其脉迟，虽汗出，不恶寒，其体必重，短气，腹满而喘，有潮热。如此者，其外为解，可攻其里，手足濈然汗出，此为已坚，承气汤主之。

208. 若汗出多，而微①恶寒，外为未解，其热不潮，勿与承气汤。若腹大满而不大便者，可与小承气汤，微和其胃气，必令至大下。

209. 阳明病，潮热，微坚，可与承气汤，不坚，勿与之。若不大便六七日，恐有燥屎，欲知之法，可与小承气汤。若腹中转失气者，此为有燥屎，乃可攻之。若不转失气者，此但头坚后溏，不可攻之，攻之必腹胀满，不能食，欲饮水者即哕，其后发热者，必复坚，以小承气汤和之。若不转失气者，慎不可攻之。

210. 夫实则谵语，虚则郑声。郑声者，重语是也。直视、

---

① 微：宋本“微”下有“发热”二字。

谵语、喘满者死，下利者亦死。

213. 阳明病，其人多汗，津液外出，胃中燥，大便必坚，坚者则谵语，承气汤主之。

214. 阳明病，谵语妄言，发潮热，其脉滑疾，如此者，承气汤主之。因与承气汤一升，腹中转气者，复与一升，如不转气者，勿与之。明日又不大便，脉反微涩，此为里虚，为难治，不得复与承气汤。

215. 阳明病，谵语，有潮热，反不能食者，必有燥屎五六枚。若能食者，但坚耳，承气汤主之。

216. 阳明病，下血而谵语者，此为热入血室，但头汗出者，当刺期门，随其实而写之，濈然汗出者则愈。

217. 汗出而谵语者，有燥屎在胃中，此风也，过经乃可下之，下之若早，语言必乱，以表虚里实，下之则愈，宜承气汤。

218. 伤寒四五日，脉沉而喘满，沉为在里，而反发其汗，津液越出，大便为难，表虚里实，久则谵语。

238. 阳明病，下之，心中懊侬而烦，胃中有燥屎者，可攻。其人腹微满，头坚后溏者，不可下之。有燥屎者，宜承气汤。

239. 病者五六日不大便，绕脐痛，躁烦，发作有时，此为有燥屎，故使不大便也。

240. 病者烦热，汗出即解，复如疟状，日晡所发者，属阳明。脉实者，当下之；脉浮虚者，当发其汗。下之，宜承气汤；发汗，宜桂枝汤。方见桂枝汤门。

241. 大下后，六七日不大便，烦不解，腹满痛者，此有燥屎。所以然者，本有宿食故也，宜承气汤。

242. 病者小便不利，大便乍难乍易，时有微热，怫郁不能卧，有燥屎故也，宜承气汤。

251. 得病二三日，脉弱，无太阳柴胡证而烦，心下坚，至四日虽能食，以小承气汤少与，微和之，令小安。至六日，与承气汤一升，不大便六七日，小便少者，虽不大便，但头坚后溏，未定成其坚，攻之必溏。当须小便利，定坚，乃可攻之，宜承气汤。

252. 伤寒七八日，目中不了了，睛不和，无表里证，大便难，微热者，此为实，急下之，宜承气汤。

253. 阳明病，发热汗多者，急下之，宜承气汤。

254. 发汗不解，腹满痛者，急下之，宜承气汤。

255. 腹满不减，减不足言，当下之，宜承气汤。

256. 阳明与少阳合病而利，脉不负者为顺，滑而数者有宿食，宜承气汤。方并见承气汤门。

221. 阳明病，脉浮紧，咽干口苦，腹满而喘，发热汗出，不恶寒，反偏恶热，其身体重，发汗即躁，心中愦愦，而反谵语。加温针必怵惕①，又烦躁不得眠，下之，胃中空虚，客气

① 惕：元大德梅溪书院翻宋本作“惕”，甚是。日本文政十二年重雕元大德梅溪书院本、1955 年人民卫生出版社影印《千金翼方》均作“惕”。

动膈，心中懊侬，舌上胎者，栀子汤主之。

228. 阳明病，下之，其外有热，手足温，不结胸，心中懊侬，若饥不能食，但头汗出，栀子汤主之。

·方

栀子十四枚，擘　香豉四合①，绵裹

上二味，以水四升，先煮栀子，取二升半，内豉，煮取一升半，去滓，分再服，温进一服，得快吐，止后服。

219. 三阳合病，腹满身重，难以转侧，口不仁，言语向经，谵语遗尿，发汗则谵语，下之则额上生汗，手足厥冷，白虎汤主之。按诸本皆云向经，不敢刊改。

222. 若渴欲饮水，口干舌燥者，白虎汤主之。方见杂疗中。

223. 若脉浮发热，渴欲饮水，小便不利，猪苓汤主之。

·方

猪苓去黑皮　茯苓　泽泻　阿胶　滑石碎，各一两

上五味，以水四升，先煮四味，取二升，去滓，内胶，烊消，温服七合，日三服。

224. 阳明病，汗出多而渴者，不可与猪苓汤，以汗多，胃中燥，猪苓汤复利其小便故也。

---

① 合：梅溪书院本讹为“各”，据宋本正。

226. 胃中虚冷，其人不能食者，饮水即哕。

227. 脉浮，发热，口干，鼻燥，能食者，即衄。

225. 若脉浮迟，表热里寒，下利清谷，四逆汤主之。

·方

甘草二两，炙　干姜一两半　附子一枚，生去皮，破八片

上三味，以水三升，煮取一升二合，去滓，分温再服，强人可大附子一枚，干姜三两。

229. 阳明病，发潮热，大便溏，小便自可，而胸胁满不去，小柴胡汤主之。

230. 阳明病，胁下坚满，不大便而呕，舌上胎者，可以小柴胡汤，上焦得通，津液得下，胃气因和，身濈然汗出而解。

231. 232. 阳明中风，脉弦浮大而短气，腹都满，胁下及心痛，久按之，气不通，鼻干，不得汗，其人嗜卧，一身及目悉黄，小便难，有潮热，时时哕，耳前后肿，刺之小差，外不解。病过十日，脉续浮，与小柴胡汤。但浮，无余证，与麻黄汤。不溺，腹满加哕，不治。方见柴胡汤门。

234. 阳明病，其脉迟，汗出多，而微恶寒，表为未解，可发汗，宜桂枝汤。

235. 阳明病，脉浮无汗，其人必喘，发汗即愈，宜麻黄汤。方并见上。

233. 阳明病，汗出，若发其汗，小便自利，此为内竭，虽坚不可攻，当须自欲大便，宜蜜煎导而通之。若土瓜根、猪胆汁，皆可以导。

·方

蜜七合

上一味，内铜器中，微火煎之，稍凝如饴状，搅之，勿令焦著，欲可丸，捻如指许，长二寸，当热时急作，令头锐，以内谷道中，以手急抱。欲大便时，乃去之。

·又方

大猪胆一枚，泻汁，和少法醋，以灌谷道中，如一食顷，当大便，出宿食恶物，已试，甚良。

236. 阳明病，发热而汗出，此为热越，不能发黄也。但头汗出，其身无有，齐颈而还，小便不利，渴引水浆，此为瘀热在里，身必发黄，茵陈汤主之。

260. 伤寒七八日，身黄如橘，小便不利，其腹微满，茵陈汤主之。

·方

茵陈六两　栀子十四枚，擘　大黄二两

上三味，以水一斗二升，先煮茵陈，减六升，内二味，煮取三升，去滓，分温三服，小便当利，溺如皂荚沫状，色正赤，一宿黄从小便去。

237. 阳明证，其人喜忘，必有畜血。所以然者，本有久瘀血，故令喜忘。虽坚，大便必黑，抵当汤主之。

257. 258. 病者无表里证，发热七八日，虽脉浮数，可下之，假令下已，脉数不解，而合热消谷喜饥，至六七日不大便者，有瘀血，抵当汤主之。若数不解，而下不止，必挟热便脓血。方见杂疗中。

243. 食谷而呕者，属阳明，茱萸汤主之。

·方

吴茱萸一升　人参三两　生姜六两，切　大枣十二枚，擘

上四味，以水七升，煮取二升，去滓，温服七合，日三服。得汤反剧者，属上焦也。

244. 阳明病，寸口缓，关上小浮，尺中弱，其人发热而汗出，复恶寒，不呕，但心下痞，此为医下之也。若不下，其人复不恶寒而渴者，为转属阳明。小便数者，大便即坚，不更衣十日无所苦也。渴欲饮水者，但与之，当以法救渴，宜五苓散。方见疗痞门。

245. 脉阳微而汗出少者，为自如；汗出多者，为太过。太过者，阳绝于内，亡津液，大便因坚。

246. 脉浮而芤，浮为阳，芤为阴，浮芤相抟①，胃气则生热，其阳则绝。

247. 趺阳脉浮而涩，浮则胃气强，涩则小便数，浮涩相抟②，大便即坚，其脾为约，麻子仁丸主之。

·方

麻子仁二升　芍药　枳实炙，各八两　大黄一斤　厚朴一尺，炙　杏人一升，去皮尖两人者，熬别作脂

上六味，蜜和丸，如梧桐子大，饮服十圆，日三服，渐加，以知为度。

259. 伤寒，发其汗，则身目为黄。所以然者，寒湿相抟，在里不解故也。

261. 伤寒，其人发黄，栀子蘗③皮汤主之。

·方

栀子十五枚，擘　甘草④　黄蘗十五分

上三味，以水四升，煮取二升，去滓，分温再服。

262. 伤寒，瘀热在里，身体必黄，麻黄连翘赤小豆汤

---

① 抟：元大德梅溪书院本作规范化的繁体“摶”字，中国所藏五部宋本亦作“摶”字，作“搏”者误。

② 抟：元大德梅溪书院本作“摶”字，宋本亦作“摶”。是。

③ 蘗：元大德本本条两“蘗”字皆讹为“蘖”（niè）。

④ 甘草：元大德本缺分量，宋本作“一两，炙”。

主之。

·方

麻黄去节　连翘各一两　杏仁三十枚，去皮尖　赤小豆一升　大枣十二枚，擘　生梓白皮切，一斤　甘草二两，炙　一方生姜二两，切

上七味，以水一斗，煮麻黄一二沸，去上沫，内诸药，煮取三升，去滓，温服一升。

少阳病状第九

九证

263. 少阳之为病，口苦，咽干，目眩也。

264. 少阳中风，两耳无所闻，目赤，胸中满而烦，不可吐下，吐下则悸而惊。

265. 伤寒病，脉弦细，头痛而发热，此为属少阳。少阳不可发汗，发汗则谵语，为属胃。胃和即愈，不和，烦而悸。

266. 267. 太阳病不解，转入少阳，胁下坚满，干呕不能食饮，往来寒热，而未吐下，其脉沉紧，可与小柴胡汤。若已吐下、发汗、温针、谵语、柴胡证罢，此为坏病，知犯何逆，以法治之。

268. 三阳脉浮大，上关上，但欲寐，目合则汗。

269. 伤寒六七日，无大热，其人躁烦，此为阳去入阴故也。

270. 伤寒三日，三阳为尽，三阴当受其邪，其人反能食而不呕，此为三阴不受其邪。

271. 伤寒三日，少阳脉小，欲已。

272. 少阳病，欲解时，从寅尽辰。

《千金翼方》卷第十
伤 寒 下

太阴病状第一

八证　方二首

273. 太阴之为病，腹满，吐，食不下，下之益甚，时腹自痛，胸下坚结。

276. 太阴病，脉浮，可发其汗。

274. 太阴中风，四肢烦疼，阳微阴涩而长，为欲愈。

275. 太阴病，欲解时，从亥尽丑。

277. 自利不渴者，属太阴，其藏有寒故也。当温之，宜四逆辈。

278. 伤寒，脉浮而缓，手足温，是为系在太阴，太阴当发黄，小便自利，利者不能发黄，至七八日虽烦，暴利十余行，必自止。所以自止者，脾家实，腐秽当去故也。

279. 本太阳病，医反下之，因腹满时痛，为属太阴，桂枝加芍药汤主之，其实痛，加大黄汤主之。

·方

桂枝三两　芍药六两　生姜三两，切　甘草二两，炙　大枣十二枚，擘

上五味，以水七升，煮取三升，去滓，分温三服。

·加大黄汤方

大黄二两

上于前方中加此大黄二两即是。

280. 人无阳证，脉弱，其人续自便利，设当行大黄芍药者，减之，其人胃气弱，易动故也。

少阴病状第二

四十五证　方一十六首

281. 少阴之为病，脉微细，但欲寐。

282. 283. 少阴病，欲吐而不烦，但欲寐，五六日自利而渴者，属少阴，虚故引水自救。小便白者，少阴病形悉具。其人小便白者，下焦虚寒，不能制溲，故白也。夫病，其脉阴阳俱紧，而反汗出，为阳，属少阴，法当咽痛，而复吐利。

284. 少阴病，咳而下利、谵语，是为被火气劫故也，小

便必难，为强责少阴汗也。

285. 少阴病，脉细沉数，病在里，不可发其汗。

286. 少阴病，脉微，不可发其汗，无阳故也。阳已虚，尺中弱涩者，复不可下之。

287. 少阴病，脉紧者，至七八日下利，其脉暴微，手足反温，其脉紧反去，此为欲解，虽烦，下利必自愈。

288. 少阴病，下利，若利止，恶寒而踡，手足温者，可治。

289. 少阴病，恶寒而踡，时自烦，欲去其衣被，不可治。

290. 少阴中风，其脉阳微阴浮，为欲愈。

291. 少阴病，欲解时，从子尽寅。

293. 少阴病，八九日，而一身手足尽热，热在膀胱，必便血。

292. 少阴病，其人吐利，手足不逆，反发热，不死。脉不足者，灸其少阴七壮。

294. 少阴病，但厥无汗，强发之，必动血，未知从何道出，或从口鼻目出，是为下厥上竭，为难治。

295. 少阴病，恶寒，踡而利，手足逆者，不治。

297. 少阴病，下利止而眩，时时自冒者死。

296. 少阴病，其人吐利躁逆者死。

298. 少阴病，四逆，恶寒而踡，其脉不至，其人不烦而躁者，死。

299. 少阴病，六七日，其息高者死。

300. 少阴病，脉微细沉，但欲卧，汗出不烦，自欲吐，至五六日自利，复烦躁，不得卧寐者死。

301. 少阴病，始得之，反发热，脉反沉者，麻黄细辛附子汤主之。

·方

麻黄二两，去节　细辛二两　附子一枚，炮，去皮，破八片

上三味，以水二斗，先煮麻黄，减一升，去上沫，内诸药，煮取三升，去滓，温服一升。

302. 少阴病，得之二三日，麻黄附子甘草汤微发汗。以二三日无证，故微发汗。

·方

麻黄二两，去节　附子一枚，炮，去皮，破八片　甘草二两，炙

上三味，以水七升，先煮麻黄一二沸，去上沫，内诸药，煮取二升半，去滓，温服八合。

303. 少阴病，得之二三日以上，心中烦、不得卧者，黄连阿胶汤主之。

·方

黄连四两　黄芩一两　芍药二两　鸡子黄二枚　阿胶三挺

上五味，以水六升，先煮三味，取二升，去滓，内胶烊尽，内鸡子黄，搅令相得，温服七合，日三服。

304. 少阴病，得之一二日，口中和，其背恶寒者，当灸之，附子汤主之。

305. 少阴病，身体痛，手足寒，骨节痛，脉沉者，附子汤主之。

·方

附子二枚，炮，去皮，破八片　茯苓三两　人参二两　白术四两　芍药三两

上五味，以水八升，煮取三升，去滓，分温三服。

306. 少阴病，下利，便脓血，桃花汤主之。

307. 少阴病，二三日至四五日，腹痛，小便下利不止，而便脓血者，以桃花汤主之。

·方

赤石脂一斤，一半完，一半末　干姜一两　粳米一升

上三味，以水七升，煮米熟汤成，去滓，温取七合，内赤石脂末一方寸匕。一服止，余勿服。

308. 少阴病，下利便脓血者，可刺。

309. 少阴病，吐利，手足逆，烦躁欲死者，茱萸汤主之。方见阳明门。

310. 少阴病，下利，咽痛，胸满，心烦，猪肤汤主之。

·方

猪肤一斤

上一味，以水一斗，煮取五升，去滓，内白蜜一升，白粉五合，熬香，和令相得，温分六服。

311. 少阴病，二三日，咽痛者，可与甘草汤；不差，可与桔梗汤。

·方

甘草

上一味，以水三升，煮取一升半，去滓，温服七合，日再服。

·桔梗汤方

桔梗一大枚　甘草二两

上二味，以水三升，煮取一升，去滓，分温再服。

312. 少阴病，咽中伤，生疮，不能语言，声不出，苦酒汤主之。

·方

鸡子一枚，去黄，内好上苦酒于壳中　半夏洗，破如枣核，十四枚上二味，内半夏，著苦酒中。以鸡子壳置刀环中，安火上，令三沸，去滓，少少含咽之，不差，更作三剂愈。

313. 少阴病，咽中痛，半夏散及汤。

· 方

半夏洗　桂枝　甘草炙

上三味，等分，各异捣，合治之，白饮和服方寸匕，日三服。若不能散服者，以水一升，煎七沸，内散两方寸匕，更煮三沸，下火，令小冷，少少含咽之。半夏有毒，不当散服。

314. 少阴病，下利，白通汤主之。

· 方

附子一枚，生，去皮，破八片　干姜一两　葱白四茎

上三味，以水三升，煮取一升，去滓，分温再服。

315. 少阴病，下利，脉微，服白通汤，利不止，厥逆无脉干烦者，白通加猪胆汁汤主之。

· 方

猪胆汁一合　人尿五合

上二味，内前汤中，和令相得，温分再服，若无胆，亦可用。服汤，脉暴出者死，微续者生。

316. 少阴病，二三日不已，至四五日，腹痛、小便不利，

四肢沉重，疼痛而利，此为有水气。其人或咳，或小便不利，或下利，或呕，玄武汤主之。

·方

茯苓　芍药　生姜各三两，切　白术二两　附子一枚，炮，去皮，破八片

上五味，以水八升，煮取三升，去滓，温服七合。咳者，加五味子半升，细辛一两，干姜一两。小便自利者，去茯苓；下利者，去芍药，加干姜二两；呕者，去附子，加生姜足前为半斤。利不止，便脓血者，宜桃花汤。

317. 少阴病，下利清谷，里寒外热，手足厥逆，脉微欲绝，身反恶寒，其人面赤，或腹痛，或干呕，或咽痛，或利止而脉不出，通脉四逆汤主之。

·方

甘草二两，炙　附子大者一枚，生，去皮，破八片　干姜三两，强人可四两

上三味，以水三升，煮取一升二合，去滓，分温再服，其脉即出者愈。面赤者，加葱白九茎；腹痛者，去葱，加芍药二两；呕者，加生姜二两；咽痛者，去芍药，加桔梗一两；利止脉不出者，去桔梗，加人参二两。病皆与方相应者，乃加减服之。

318. 少阴病，四逆，其人或咳或悸，或小便不利，或腹中痛，或泄利下重，四逆散主之。

·方

甘草炙　枳实炙　柴胡　芍药各十分

上四味，捣为散，白饮和服方寸匕，日三服。咳者，加五味子、干姜各五分，兼主利；悸者，加桂五分；小便不利者，加茯苓五分；腹中痛者，加附子一枚，炮；泄利下重者，先以水五升，煮薤白三升，取三升，去滓，以散三方寸匕内汤中，煮取一升半，分温再服。

319. 少阴病，不利①六七日，咳而呕渴，心烦不得眠，猪苓汤主之。方见阳明门。

320. 少阴病，得之二三日，口燥、咽干，急下之，宜承气汤。

321. 少阴病，利清水，色青者，心下必痛，口干燥者，可下之，宜承气汤。一云大柴胡。

322. 少阴病，六七日，腹满，不大便者，急下之，宜承气汤。方见承气中。

323. 少阴病，其脉沉者，当温之，宜四逆汤。

324. 少阴病，其人饮食入则吐，心中温温欲吐，复不能

---

① 不利：宋本作“下利”。

吐。始得之，手足寒，脉弦迟，此胸中实，不可下也，当遂吐之。若膈上有寒饮，干呕者，不可吐，当温之，宜四逆汤。方见阳明门。

325. 少阴病，下利，脉微涩者即呕，汗者必数更衣，反少，当温其上，灸之。一云灸厥阴五十壮。

厥阴病状第三

五十六证　方七首

326. 厥阴之为病，消渴，气上撞，心中疼热，饥而不欲食，甚者则欲吐蛔，下之不肯止。

327. 厥阴中风，其脉微浮为欲愈，不浮为未愈。

328. 厥阴病，欲解时，从丑尽卯。

329. 厥阴病，渴欲饮水者，与水饮之即愈。

330. 诸四逆厥者，不可下之，虚家亦然。

331. 伤寒，先厥后发热而利者，必止，见厥复利。

332. 伤寒，始发热六日，厥反九日而下利，厥利当不能食，今反能食，恐为除中。食之黍饼不发热者，知胃气尚在，必愈，恐暴热来出而复去也。后日脉之，其热续在，期之旦日夜半愈。所以然者，本发热六日，厥反九日，复发热三日，并前六日，亦为九日，与厥相应，故期之旦日夜半愈。后三日脉之，数，其热不罢，此为热气有余，必发痈脓。

333. 伤寒脉迟六七日，而反与黄芩汤彻其热，脉迟为寒，与黄芩汤复除其热，腹中冷，当不能食，今反能食，此为除中，必死。

334. 伤寒，先厥发热，下利必自止，而反汗出，咽中强痛，其喉为痹。发热无汗，而利必自止，便脓血。便脓血者，其喉不痹。

335. 伤寒一二日至四五日厥者，必发热。前厥者，后必热①。厥深热亦深，厥微热亦微。厥应下之，而发其汗者，口伤烂赤。

337. 凡厥者，阴阳气不相顺接，便为厥。厥者，手足逆者是。

336. 伤寒病，厥五日，热亦五日。设六日当复厥，不厥者自愈。厥不过五日，以热五日，故知自愈。

338. 伤寒，脉微而厥，至七八日肤冷，其人躁，无安时，此为藏寒，蛔上入其膈。蛔厥者，其人当吐蛔。令病者静，而复时烦，此为藏寒，蛔上入其膈故烦，须臾复止，得食而呕。又烦者，蛔闻食臭必出，其人常自吐蛔。蛔厥者，乌梅丸主之。又主久痢。

① 前厥者，后必热：宋本作“前热者，后必厥”，误。《脉经》卷七第一亦作“前厥者，后必热”，是。

· 方

乌梅三百枚　细辛六两　干姜十两　黄连十六两　当归四两　蜀椒四两，汗　附子六两，炮　桂枝六两　人参六两　黄蘗六两

上一十味，异捣合治之。以苦酒渍乌梅一宿，去核，蒸之五斗米下，捣成泥，和诸药，令相得。臼中与蜜杵千下，丸如梧桐子大。先食饮服十丸，日三服，少少加至二十丸。禁生冷、滑物、臭食等。

339. 伤寒，热少微厥，稍头寒，嘿嘿不欲食，烦躁。数日小便利，色白者，热除也。得食，其病为愈。若厥而呕，胸胁烦满，其后必便血。稍头一作指头。

340. 病者手足厥冷，言我不结胸，少腹满，按之痛，此冷结在膀胱关元也。

341. 伤寒，发热四日，厥反三日，复发热四日，厥少热多，其病当愈，四日至六七日不除，必便脓血。

342. 伤寒，厥四日，热反三日，复厥五日，其病为进。寒多热少，阳气退，故为进。

343. 伤寒六七日，其脉数①，手足厥②，烦躁，阴③，厥

---

① 脉数：宋本作“脉微”。

② 厥：宋本作“厥冷”。

③ 阴：宋本“阴”上有“灸厥”二字，是。《脉经》第十一作“灸其厥阴”。唐本“宜灸第十一”亦作“灸其厥阴”。

不还者死。

344. 伤寒下利，厥逆，躁不能卧者死。

345. 伤寒发热，下利至①，厥不止者死。

346. 伤寒，六七日不利②，便③发热而利，其人汗出不止者死，有阴无阳故也。

347. 伤寒五六日，不结胸，腹濡脉虚复厥者，不可下之，下之亡血，死。

348. 伤寒，发热而厥，七日下利者，为难治。

349. 伤寒脉促，手足厥逆者，可灸之。

350. 伤寒脉滑而厥者，其表有热，白虎汤主之。表热见里，方见杂疗中。

351. 手足厥寒，脉为之细绝，当归四逆汤主之。

·方

当归三两　桂心三两　细辛三两　芍药三两　甘草二两，炙　通草二两　大枣二十五枚，擘

上七味，以水八升，煮取三升，去滓，温服一升，日三服。

352. 若其人有寒，当归四逆加吴茱萸生姜汤主之。

① 至：宋本作“至甚”。
② 不利：《金匮玉函经》作“不便利”。
③ 便：《金匮玉函经》作“忽”，义长。

·方

吴茱萸二两　生姜八两，切

上前方中加此二味，以水四升，清酒四升和煮，取三升，去滓，分温四服。

353. 大汗出，热不去，拘急，四肢疼，若下利，厥而恶寒，四逆汤主之。

354. 大汗出，若火①下利而厥，四逆汤主之。方并见阳明门。

355. 病者手足逆冷，脉乍紧者，邪结在胸中，心下满而烦，饥不能食，病在胸中，当吐之，宜瓜蒂散。方见疗痞中。

356. 伤寒，厥而心下悸，先治其水，当与茯苓甘草汤，却治其厥，不尔，其水入胃必利，茯苓甘草汤主之。

·方

茯苓二两　甘草炙，一两　桂枝二两　生姜三两

上四味，以水四升，煮取二升，去滓，分温三服。

357. 伤寒六七日，其人大下后，脉沉迟，手足厥逆，下部脉不至，咽喉不利，唾脓血，泄利不止，为难治。麻黄升麻汤主之。

---

① 火：字讹，当作“大”。宋本及《脉经》第八作“大”。

·方

麻黄去节，二两半　知母十八铢　萎蕤十八铢　黄芩十八铢　升麻一两六铢　当归一两六铢　芍药　桂枝　石膏碎，绵裹　干姜　白术　茯苓　麦门冬去心　甘草炙，各六铢

上一十四味，以水一斗，先煮麻黄二沸，去上沫，内诸药，煮取三升，去滓，分温三服。一炊间，当汗出愈。

358. 伤寒四五日，腹中痛，若转气下趋少腹，为欲自利。

359. 伤寒本自寒下，医复吐之而寒格，更逆吐，食入即出，干姜黄芩黄连人参汤主之。

·方

干姜　黄芩　黄连　人参各三两

上四味，以水六升，煮取二升，去滓，分温再服。

360. 下利，有微热，其人渴，脉弱者，自愈。

361. 下利脉数，若微发热汗出者，自愈，设脉复紧，为未解。

362. 下利，手足厥，无脉，灸之不温，反微喘者，死。少阴负趺阳者，为顺。

363. 下利，脉反浮数，尺中自涩，其人必清脓血。

364. 下利清谷，不可攻其表，汗出必胀满。

365. 下利，脉沉弦者，下重，其脉大者，为未止；脉微

弱数者，为欲自止，虽发热，不死。

366. 下利，脉沉而迟，其人面少赤，身有微热，下利清谷，必郁冒汗出而解，其人微厥，所以然者，其面戴阳，下虚故也。

367. 下利，脉反数而渴者，今自愈，设不差，必清脓血，有热故也。

368. 下利后，脉绝，手足厥，晬时脉还，手足温者，生；不还者，死。

369. 伤寒，下利日十余行，其人脉反实者死。

370. 下利清谷，里寒外热，汗出而厥，通脉四逆汤主之。方见少阴门。

371. 热利下重，白头翁汤主之。

373. 下利欲饮水者，为有热，白头翁汤主之。

·方

白头翁二两　黄蘗三两　黄连三两　秦皮三两

上四味，以水七升，煮取二升，去滓，温服一升，不差，更服。

372. 下利，腹满，身体疼痛，先温其里，乃攻其表，温里宜四逆汤，攻表宜桂枝汤。方并见上。

374. 下利而谵语，为有燥屎，小承气汤主之。方见承气门。

375. 下利后更烦，按其心下濡者，为虚烦也，栀子汤主之。方见阳明门。

376. 呕家有痈脓，不可治呕，脓尽自愈。

379. 呕而发热，小柴胡汤主之。方见柴胡门。

377. 呕而脉弱，小便复利，身有微热，见厥难治，四逆汤主之。方见上。

378. 干呕，吐涎沫，而复头痛，吴茱萸汤主之。方见阳明门。

380. 伤寒，大吐下之，极虚复极汗者，其人外气怫郁，复与其水，以发其汗，因得哕，所以然者，胃中寒冷故也。

381. 伤寒，哕而满者，视其前后，知何部不利，利之则愈。

伤寒宜忌第四

十五章

忌发汗第一

285. 少阴病，脉细沉数，病在里，忌发其汗。

50. 脉浮而紧，法当身体疼痛，当以汗解。假令尺中脉迟者，忌发其汗。何以知然，此为荣气不足，血气微少故也。

286. 少阴病，脉微，忌发其汗，无阳故也。

咽中闭塞，忌发其汗，发其汗即吐血，气微绝，逆冷。

厥忌发其汗，发其汗即声乱、咽嘶、舌萎。

27. 太阳病，发热恶寒，寒多热少，脉微弱，则无阳也，忌复发其汗。

83. 咽喉干燥者，忌发其汗。

87. 亡血家忌攻其表，汗出则寒慄而振。

86. 衄家忌攻其表，汗出必额上促急。

88. 汗家重发其汗，必恍惚心乱，小便已，阴疼。

84. 淋家忌发其汗，发其汗，必便血。

85. 疮家虽身疼痛，忌攻其表，汗出则痓。

冬时忌发其汗，发其汗必吐利，口中烂，生疮。咳而小便利，若失小便，忌攻其表，汗则厥，逆冷。

太阳病，发其汗，因致痓。

宜发汗第二

大法，春夏宜发汗。

凡发汗，欲令手足皆周，絷絷一时间益佳，不欲流离。若病不解，当重发汗。汗多则亡阳，阳虚不得重发汗也。

凡服汤药发汗，中病便止，不必尽剂也。

凡云宜发汗，而无汤者，丸散亦可用，然不如汤药也。

61. 凡脉浮者，病在外，宜发其汗。

52. 太阳病，脉浮而数者，宜发其汗。

235. 阳明病，脉浮虚者，宜发其汗。

234. 阳明病，其脉迟，汗出多，而微恶寒者，表为未解，宜发其汗。

276. 太阴病，脉浮，宜发其汗。

12. 太阳中风，阳浮而阴濡弱。浮者，热自发，濡弱者，汗自出。涩涩恶寒，淅淅恶风，翕翕发热，鼻鸣干呕，桂枝汤主之。

35. 太阳头痛发热，身体疼，腰痛，骨节疼痛，恶风无汗而喘，麻黄汤主之。

38. 太阳中风，脉浮紧，发热恶寒，身体疼痛，不汗出而烦躁，大青龙汤主之。

302. 少阴病，得之二三日，麻黄附子甘草汤微发汗。

忌吐第三

120. 太阳病，恶寒而发热，今自汗出，反不恶寒而发热，关上脉细而数，此吐之过也。

324. 少阴病，其人饮食入则吐，心中温温欲吐，复不能吐。始得之，手足寒，脉弦迟①若膈上有寒饮，干呕，忌吐，当温之。

---

① 迟：字讹，当作“迟”。唐本“忌下第五”“宜温第七”及宋本“辨不可吐第十八”均作“迟”。是。有迟脉无运脉也。

330. 诸四逆病厥，忌吐，虚家亦然。

宜吐第四

大法，春宜吐。

凡服吐汤，中病便止，不必尽剂也。

166. 病如桂枝证，其头项不强痛，寸口脉浮，胸中痞坚，上撞咽喉，不得息，此为有寒，宜吐之。

病胸上诸实，胸中郁郁而痛，不能食，欲使人按之，而反有涎唾，下利日十余行，其脉反迟，寸口微滑，此宜吐之，利即止。

324. 少阴病，其人饮食入则吐，心中温温欲吐，复不能吐，宜吐之。

355. 病者手足逆冷，脉乍紧，邪结在胸中，心下满而烦，饥不能食，病在胸中，宜吐之。

宿食在上管，宜吐之①。

---

① 宜吐之：此节共七条，又见《备急千金要方》卷九“宜吐第七”、《金匮玉函经》卷五第十六、宋本“辨可吐第十九”、《脉经》“可吐第五”、江南秘本《伤寒论》“辨可吐形证”，条文皆同。孙思邈云：“江南诸师秘仲景要方不传”，是未见《辨伤寒》之全本，而可吐篇则见其全节也。

忌下第五

咽中闭塞，忌下，下之则上轻下重，水浆不下。诸外实忌下，下之皆发微热，亡脉则厥。

诸虚忌下，下之则渴，引水易愈，恶水者剧。

脉数者忌下，下之必烦，利不止。

286. 尺中弱涩者，复忌下。

脉浮大，医反下之，此为大逆。

48. 太阳证不罢，忌下，下之为逆。

132. 结胸证，其脉浮大，忌下，下之即死。

36. 太阳与阳明合病，喘而胸满者，忌下。

171. 太阳与少阳合病，心下痞坚，颈项强而眩，忌下。

330. 凡四逆病厥者，忌下，虚家亦然。

病欲吐者，忌下。

44. 病有外证未解，忌下，下之为逆。

324. 少阴病，食入即吐，心中温温欲吐，复不能吐。始得之，手足寒，脉弦迟，此胸中实，忌下。

347. 伤寒五六日，不结胸，腹濡脉虚复厥者，忌下，下之亡血则死。

宜下第六

大法，秋宜下。

凡宜下，以汤胜丸散。

凡服汤下，中病则止，不必尽剂服。

253. 阳明病，发热汗多者，急下之。

320. 少阴病，得之二三日，口燥咽干者，急下之。

322. 少阴病五六日，腹满，不大便者，急下之。

321. 少阴病，下利清水，色青者，心下必痛，口干者，宜下之。

下利，三部脉皆浮，按其心下坚者，宜下之。

下利，脉迟而滑者，实也，利未欲止，宜下之。

256. 阳明与少阳合病，利而脉不负者，为顺；脉数而滑者，有宿食，宜下之。

问曰：人病有宿食，何以别之？答曰：寸口脉浮大，按之反涩，尺中亦微而涩，故知有宿食，宜下之。

下利，不欲食者，有宿食，宜下之。

下利差，至其时复发，此为病不尽，宜复下之。

凡病腹中满痛者，为寒，宜下之。

255. 腹满不减，减不足言，宜下之。

252. 伤寒六七日，目中不了了，睛不和，无表里证，大便难，微热者，此为实，急下之。

脉双弦而迟，心下坚，脉大而紧者，阳中有阴，宜下之。

126. 伤寒有热，而少腹满，应小便不利，今反利，此为血，宜下之。

240. 病者烦热，汗出即解，复如疟，日晡所发者，属阳明，脉实者当下之。

宜温第七

大法，冬宜服温热药。

92. 师曰：病发热头痛，脉反沉，若不差，身体更疼痛，当救其里，宜温药四逆汤。

372. 下利，腹胀满，身体疼痛，先温其里，宜四逆汤。

下利，脉迟紧为痛，未欲止，宜温之。

下利，脉浮大者，此为虚，以强下之故也。宜温之，与水必哕。

325. 少阴病，下利，脉微涩呕者，宜温之。

277. 自利不渴者，属太阴，其藏有寒故也，宜温之。

324. 少阴病，其人饮食入则吐，心中温温欲吐，复不能吐。始得之，手足寒，脉弦迟，若膈上有寒饮，干呕，宜温之。

323. 少阴病，脉沉者，宜急温之。

下利欲食者，宜就温之。

忌火第八

119. 伤寒，加火针必惊。

112. 伤寒脉浮，而医以火迫劫之，亡阳，必惊狂，卧起不安。

113. 伤寒，其脉不弦紧而弱，弱者必渴，被火必谵语。

114. 太阳病，以火熏之，不得汗，其人必躁，到经不解，必清血。

200. 阳明病，被火，额上微汗出，而小便不利，必发黄。

284. 少阴病，咳而下利，谵语，是为被火气劫故也，小便必难，为强责少阴汗也。

宜火第九

凡下利，谷道中痛，宜灸枳实若熬盐等熨之。

忌灸第十

116. 微数之脉，慎不可灸，因火为邪，则为烦逆。

116. 脉浮，当以汗解，而反灸之，邪无从去，因火而盛，病从腰以下必重而痹，此为火逆。

115. 脉浮，热甚，而反灸之，此为实，实以虚治，因火而动，咽燥，必唾血。

宜灸第十一

304. 少阴病，一二日，口中和，其背恶寒，宜灸之。

292. 少阴病，吐利，手足逆，而脉不足，灸其少阴七壮。

325. 少阴病，下利，脉微涩者即呕，汗者必数更衣，反少者，宜温其上，灸之。一云灸厥阴五十壮。

362. 下利，手足厥，无脉，灸之，主厥，厥阴是也。灸不温，反微喘者，死。

343. 伤寒六七日，其脉微，手足厥，烦躁，灸其厥阴，厥不还者，死。

349. 脉促，手足厥者，宜灸之。

忌刺第十二

大怒无刺　新内无刺　大劳无刺　大醉无刺

大饱无刺　大渴无刺　大惊无刺

无刺熇熇之热，无刺渌渌①之汗，无刺浑浑之脉，无刺病与脉相逆者。

上工刺未生，其次刺未盛，其次刺其衰。工逆此者，是谓伐形。

宜刺第十三

8. 太阳病，头痛，至七日自当愈，其经竟故也。若欲作再经者，宜刺足阳明，使经不传则愈。

24. 太阳病，初服桂枝汤，而反烦不解，宜先刺风池、风府，乃却与桂枝汤则愈。

108. 伤寒，腹满而谵语，寸口脉浮而紧者，此为肝乘脾，名曰纵，宜刺期门。

109. 伤寒发热，涩涩恶寒，其人大渴，欲饮截浆者，其腹必满，而自汗出，小便利，其病欲解，此为肝乘肺，名曰横，宜刺期门。

216. 阳明病，下血而谵语，此为热入血室，但头汗出者，刺期门，随其实而写之。

171. 太阳与少阳合病，心下痞坚，颈项强而眩，宜刺大

---

① 渌渌：《素问·疟论》《灵枢·逆顺》皆作“漉漉”。日本文政十二年《千金翼方》翻刻本作“逯逯”。此节又见于《灵枢·终始》及《脉经》《金匮玉函经》。宋本或脱之乎？

椎、肺俞、肝俞，勿下之。

妇人伤寒，怀身，腹满，不得小便，加从腰以下重，如有水气状。怀身七月，太阴当养不养，此心气实，宜刺，写劳宫及关元，小便利则愈。

伤寒喉痹，刺手少阴穴，在腕当小指后动脉是也，针入三分补之。

308. 少阴病，下利便脓血者，宜刺。

忌水第十四

75. 发汗后，饮水多者必喘，以水灌之亦喘。

下利，其脉浮大，此为虚，以强下之故也。设脉浮革，因尔肠鸣，当温之，与水必哕。

127. 太阳病，小便利者，为水多，心下必悸。

宜水第十五

71. 太阳病，发汗后，若大汗出，胃中干燥，烦不得眠，其人欲饮水，当稍饮之，令胃气和则愈。

329. 厥阴，渴欲饮水，与水饮之即愈。

呕而吐，膈上者，必思煮饼，急思水者，与五苓散饮之，水亦得也。

发汗吐下后病状第五

三十证　方一十五首

76. 发汗后，水药不得入口，为逆。

75. 未持脉时，病人手叉自冒心，师因教试令咳，而不即咳者，此必两耳无所闻也。所以然者，重发其汗，虚故也。

发汗后身热，又重发其汗，胃中虚冷，必反吐也。

59. 大下后，发汗，其人小便不利，此亡津液，勿治，其小便利，必自愈。

122. 病人脉数，数为热，当消谷引食，而反吐者，以医发其汗，阳气微，膈气虚，脉则为数。数为客热，不能消谷，胃中虚冷，故吐也。

89. 病者有寒，复发其汗，胃中冷，必吐蛔。一云吐逆。

211. 26. 发汗后，重发其汗，亡阳谵语，其脉反和者，不死。服桂枝汤，汗出，大烦渴不解，若脉洪大，与白虎汤。方见杂疗中。

62. 发汗后，身体疼痛，其脉沉迟，桂枝加芍药生姜人参汤主之。

·方

桂枝三两　芍药四两　生姜四两，切　甘草二两，炙　大枣十二枚，

擘　人参三两

上六味，以水一斗二升，煮取三升，去滓，温服一升。本云桂枝汤，令①加芍药、生姜、人参。

82. 太阳病，发其汗而不解，其人发热，心下悸、头眩、身瞤而动，振振欲擗地者，玄武汤主之。方见少阴门。

65. 发汗后，其人齐下悸，欲作奔豚，茯苓桂枝甘草大枣汤主之。

· 方

茯苓半斤　桂枝四两　甘草一两，炙　大枣十五枚，擘

上四味，以水一斗，先煮茯苓，减二升，内诸药，煮取三升，去滓，温服一升，日三服。

64. 发汗过多以后，其人叉手自冒心，心下悸而欲得按之，桂枝甘草汤主之。

· 方

桂枝四两　甘草二两，炙

上二味，以水三升，煮取一升，去滓，顿服，即愈。

72. 发汗，脉浮而数复烦者，五苓散主之。方见结胸门中。

66. 发汗后，腹胀满，厚朴生姜半夏甘草人参汤主之。

---

① 令：字误，当作“今”。宋本第62条作“今”。

·方

厚朴半斤，炙　生姜半斤，切　半夏半升，洗　甘草二两，炙　人参一两

上五味，以水一斗，煮取三升，去滓，温服一升，日三服。

68. 发其汗不解，而反恶寒者，虚故也，芍药甘草附子汤主之。

·方

芍药　甘草各三两，炙　附子一枚，炮，去皮，破六片

上三味，以水三升，煮取一升二合，去滓，分温三服。

70. 不恶寒，但热者，实也，当和其胃气，宜小承气汤。方见承气汤门，一云调胃承气汤。

29. 伤寒，脉浮，自汗出，小便数，颇复①微恶寒，而脚挛急，反与桂枝欲攻其表，得之便厥，咽干，烦躁吐逆，当作甘草干姜汤，以复其阳。厥愈足温，更作芍药甘草汤与之，其脚即伸，而胃气不和，可与承气汤；重发汗，复加烧针者，四逆汤主之。

---

① 颇复：宋本无，义长。

·甘草干姜汤方

甘草四两，炙　干姜二两

上二味，以水三升，煮取一升，去滓，分温再服。

·芍药甘草汤方

芍药　甘草炙，各四两

上二味，以水三升，煮取一升半，去滓，分温再服。

58. 凡病，若发汗、若吐、若下、若亡血，无津液，而阴阳自和者，必自愈。

67. 伤寒，吐下发汗后，心下逆满，气上撞胸，起即头眩，其脉沉紧，发汗即动经，身为振摇，茯苓桂枝白术甘草汤主之。

·方

茯苓四两　桂枝三两　白术　甘草炙，各二两

上四味，以水六升，煮取三升，去滓，分温三服。

69. 发汗吐下以后不解，烦躁，茯苓四逆汤主之。

·方

茯苓四两　人参一两　甘草二两，炙　干姜一两半　附子一枚，生，去皮，破八片

上五味，以水五升，煮取二升，去滓，温服七合，日三服。

76. 发汗吐下后，虚烦不得眠，剧者，反复颠倒，心中懊侬，栀子汤主之。若少气，栀子甘草汤主之。若呕者，栀子生姜汤主之。栀子汤方见阳明门。

·栀子甘草汤方

于栀子汤中加甘草二两即是。

·栀子生姜汤方

于栀子汤中加生姜五两即是。

79. 伤寒下后，烦而腹满，卧起不安，栀子厚朴汤主之。

·方

栀子十四枚，擘　厚朴四两，炙　枳实四枚，炙

上三味，以水三升半，煮取一升半，去滓，分二服，温进一服，快吐，止后服。

60. 下以后，发其汗，必振寒，又其脉微细。所以然者，内外俱虚故也。

77. 发汗，若下之，烦热，胸中窒者，属栀子汤证。

61. 下以后，复发其汗者，则昼日烦躁不眠，夜而安静，不呕不渴，而无表证，其脉沉微，身无大热，属附子干姜汤。

· 方

附子一枚，生，去皮，破八片 干姜一两

上二味，以水三升，煮取一升，去滓，顿服即安。

93. 太阳病，先下而不愈，因复发其汗，表里俱虚，其人因冒，冒家当汗出自愈。所以然者，汗出表和故也，表和故下之。

80. 伤寒，医以丸药大下后，身热不去，微烦，栀子干姜汤主之。

· 方

栀子十四枚，擘 干姜二两

上二味，以水三升半，煮取一升半，去滓，分二服，温进一服。得快吐，止后服。

49. 脉浮数，法当汗出而愈，而下之，则身体重，心悸者，不可发其汗，当自汗出而解。所以然者，尺中脉微，此里虚，须表里实，津液自和，自汗出愈。

63. 发汗以后，不可行桂枝汤，汗出而喘，无大热，与麻黄杏子石膏甘草汤。

· 方

麻黄四两，去节 杏仁五十枚，去皮尖 石膏半斤，碎 甘草二

两，炙

上四味，以水七升，先煮麻黄一二沸，去上沫，内诸药，煮取三升，去滓，温服一升。本云黄耳杯。

168. 伤寒吐下后，七八日不解，热结在里，表里俱热，时时恶风，大渴，舌上干燥而烦，欲饮水数升，白虎汤主之。方见杂疗中。

212. 伤寒，吐下后未解，不大便五六日，至十余日，其人日晡所发潮热，不恶寒，犹如见鬼神之状，剧者发则不识人，循衣妄掇，怵惕不安，微喘直视，脉弦者生，涩者死，微者但发热谵语，与承气汤，若下者，勿复服。

大下后，口燥者，里虚故也。

霍乱病状第六

一十证　方三首

382. 问曰：病有霍乱者，何也？答曰：呕吐而利，此为霍乱。

383. 问曰：病者发热头痛，身体疼痛，恶寒而复吐利，当属何病？答曰：当为霍乱。霍乱吐下利止，复更发热也。

384. 伤寒，其脉微涩，本是霍乱，今是伤寒，却四五日，至阴经上，转入阴，当利。本素呕下利者，不治；若其人即欲大便，但反失气，而不利者，是为属阳明，必坚，十二日①愈。所以然者，经竟故也。

384. 下利后当坚，坚能食者愈。今反不能食，到后经中，颇能食，复一经能食，过之一日当愈。若不愈，不属阳明也。

385. 恶寒，脉微而复利，利止必亡血，四逆加人参汤主之。

·方

四逆汤中加人参一两即是。

386. 霍乱而头痛，发热，身体疼痛，热多，欲饮水，五苓散主之。五苓散见结胸门。寒多，不用水者，理中汤主之。

·方

人参　干姜　甘草炙　白术各三两

上四味，以水八升，煮取三升，去滓，温服一升，日三服。齐上筑者，为肾气动，去术，加桂四两。吐多者，去术，加生姜三两。下利多者，复用术。悸者，加茯苓二两。渴者，加术至四两半。腹中痛者，加人参至四两半。寒者，加干姜至四两半。腹满者，去术，加附子一枚。服药后，如食须②，饮热粥一升，微自温暖，勿发揭衣被。一方，蜜和丸，如鸡黄许

① 十二日：宋本作“十三日”。
② 须：字讹，当作“顷”。宋本作“顷”。

大，以沸汤数合，和一丸，研碎，温服，日三夜二。腹中未热，益至三四丸，然不及汤。

387. 吐利止，而身体痛不休，当消息和解其外，宜桂枝汤小和之。

388. 389. 吐利汗出，发热恶寒，四肢拘急，手足厥，四逆汤主之。既吐且利，小便复利，而大汗出，下利清谷，里寒外热，脉微欲绝，四逆汤主之。

390. 吐已下断，汗出而厥，四肢不解，脉微欲绝，通脉四逆加猪胆汤主之。

·方

于通脉四逆汤中加猪胆汁半合即是。服之，其脉即出，无猪胆，以羊胆代之。

391. 吐利发汗，其人脉平而小烦，此新虚不胜谷气故也。

阴易病已后劳复第七

七证　一方四首，附方六首

392. 伤寒阴易之为病，身体重，少气，少腹里急，或引阴中拘挛，热上冲胸，头重不欲举，眼中生花，痂胞赤，膝胫拘急，烧裈散主之。

·方

妇人里裈近隐处烧灰。

上一味，水和服方寸匕，日三，小便即利，阴头微肿，此为愈。

393. 大病已后劳复，枳实栀子汤主之。

·方

枳实三枚，炙　豉一升，绵裹　栀子十四枚，擘

上三味，以酢浆七升，先煎取四升，次内二味，煮取二升，内豉，煮五六沸，去滓，分温再服。若有宿食，内大黄，如博棋子大五六枚，服之愈。

394. 伤寒差已后，更发热，小柴胡汤主之。脉浮者，以汗解之。脉沉实一作紧者，以下解之。

395. 大病已后，腰以下有水气，牡蛎泽泻散主之。

·方

牡蛎熬　泽泻　蜀漆洗　商陆　葶苈熬　海藻洗　栝楼根各等分

上七味，捣为散，饮服方寸匕，日三服，小便即利。

397. 伤寒解后，虚羸少气，气逆欲吐，竹叶石膏汤主之。

·方

竹叶二把　半夏半升，洗　麦门冬一升，去心　甘草炙　人参各二两　石膏一斤，碎　粳米半升

上七味，以水一斗，煮取六升，去滓，内粳米熟汤成，温服一升，日三服。

396. 大病已后，其人喜唾，久久不了，胸上有寒，当温之，宜理中丸。

398. 病人脉已解，而日暮微烦者，以病新差，人强与谷，脾胃气尚弱，不能消谷，故令微烦，损谷即愈。①

① 唐本此条后附如下杂方：杀鬼丸方、弹鬼王方、度瘴散方、老君神明白散方、太一流金散方、务成子萤火丸方。因出道家者流，与《伤寒论》无涉，删之。

附一

唐本《伤寒论》字数为何少于宋本

宋本《伤寒论》与唐本《伤寒论》底本均来自六朝《辨伤寒》,《辨伤寒》来自王叔和《张仲景方》。两书既然底本相同,为何字数不同?

宋本《伤寒论》有北宋校正医书局增加的大量文字,如第五节“辨太阳病脉证并治上”至第二十二节“辨发汗吐下后病脉证并治”凡十八节皆增子目,《伤寒论》原文之间有许多校注文字;明赵开美翻刻时又增加不少文字,所以统计宋本《伤寒论》字数时,不可用电脑提示的字数。

本文用手工统计方法,不计校正医书局和赵开美所增字数,得宋本《伤寒论》原文纯字数 49840 字,唐本《伤寒论》原文纯字数 21944 字,则宋本《伤寒论》比唐本《伤寒论》多出 27896 字。

唐本《伤寒论》在《伤寒论》传承史上具有非常重大的意义。为寻求《辨伤寒》十卷,孙思邈花了三四十年时间,他在写《备急千金要方》时,因为找不到《辨伤寒》,感慨道:“江南诸师,秘仲景要方不传!”隋代积累了大量前代藏书,可惜国祚甚短,仅仅三十八年便被大唐取代。大唐江山一统,书籍充盈,《辨伤寒》十卷此时已在府库,为孙思邈得之，收进《千金翼方》。

孙思邈对六朝传本《辨伤寒》有所改动，主要如下。第一，“方证同条”，即把有关方剂挪动到相关证候条文下。比如，“太阳病，项背强几几，无汗恶风者，葛根汤主之”，此条之下原无方，孙思邈将葛根汤方移于此条之下。此谓之“方证同条”。第二，“比类相附”，即将相关方剂与相关证候条文编辑在一起，即类方也。如“太阳病用桂枝汤法第一”将桂枝汤方与相关证候条文编排在一起。此节收录桂枝汤、桂枝麻黄各半汤、桂枝二麻黄一汤、桂枝二越婢一汤、桂枝去桂加茯苓白术汤。在孙思邈改动之前，这些方剂置于卷末，与相关证候条文互相分离。第三，将《辨伤寒》之“可”与“不可”改称“宜”“忌”，删去“宜”“忌”所有方剂。第四，将厥阴篇提纲证与厥阴具体病证合为一篇。宋本《伤寒论》厥阴篇小注：“厥利呕哕附”，意指厥阴篇的提纲证与厥利呕哕证治原分两节，今将两节合为一节，故加注说明。《金匮玉函经》卷四明确将厥阴提纲证与厥利呕哕证治分为独立的两节，即“辨厥阴病形证治第九”与“辨厥利呕哕病形证治第十”。

孙思邈对《辨伤寒》改动最大的是“可”与“不可”，有删节，有脱文。这是唐本《伤寒论》较宋本《伤寒论》文字为少的最大原因。

删节。例如宋本《伤寒论》之“辨不可发汗病脉证并治第十五”计有 30 条，其中 12 条不见于三阴三阳，而是从《脉经》“可”与“不可”中移动过来。这12条文字如下。

（1）脉濡而弱，弱反在关，濡反在巅，微反在上，涩反在下。微则阳气不足，涩则无血，阳气反微，中风汗出，而反躁烦。涩则无血，厥而且寒。阳微发汗，躁不得眠。

（2）动气在右，不可发汗，发汗则衄而渴，心苦烦，饮即吐水。

（3）动气在左，不可发汗，发汗则头眩，汗不止，筋惕肉瞤。

（4）动气在上，不可发汗，发汗则气上冲，正在心端。

（5）动气在下，不可发汗，发汗则无汗，心中大烦，骨节苦疼，目运恶寒，食则反吐，谷不得前。

（6）咽中闭塞，不可发汗，发汗则吐血，气微绝，手足厥冷，欲得踡卧，不能自温。

（7）诸脉得数动微弱者，不可发汗。发汗则大便难，腹中干（一云小便难，腹中干），胃燥而烦，其形相象，根本异源。

（8）脉濡而弱，弱反在关，濡反在巅，弦反在上，微反在下。弦为阳运，微为阴寒。上实下虚，意欲得温。微弦为虚，不可发汗。发汗则寒慄，不能自还。

（9）咳者则剧，数吐涎沫，咽中必干，小便不利，心中饥烦。晬时而发，其形似疟，有寒无热，虚而寒慄，咳而发汗，踡而苦满，腹中复坚。

（10）厥，脉紧，不可发汗，发汗则声乱，咽嘶舌萎，声不得前。

(11) 诸逆发汗，病微者难差，剧者言乱，目眩者死（一云谵言目眩，睛乱者死），命将难全。

(12) 咳而小便利，若失小便者，不可发汗，汗出则四肢厥逆冷。

以上12条不见于宋本《伤寒论》三阴三阳而见于《脉经》的“可”与“不可”，孙思邈删除前11条保留第12条。又如宋本《伤寒论》的“辨可发汗脉证并治第十六”凡47条，孙思邈删34条，只保留13条。

此外，孙思邈还删尽“宜”“忌”十五节所有方剂。

在“宜”“忌”之外的章节，宋本与唐本收录的方剂与服法亦有不同。如宋本《伤寒论》第二十二节“辨发汗吐下后脉证并治”收录方剂及服法凡三十八首；唐本《伤寒论》之“发汗吐下后病状第五”与宋本第二十二节对应，仅收录方剂及其服法凡十三首。

脱文。唐本《伤寒论》有多条脱落文句者。具体如下。

唐本《伤寒论·伤寒宜忌第四》曰：“咽中闭塞，忌发其汗，发其汗即吐血，气微绝，手足逆冷。”此条亦见于宋本《伤寒论》及《脉经》，两书“手足逆冷”句下皆有“欲得踡卧，不能自温”八字。

唐本《伤寒论·伤寒宜忌第四》又曰：“汗家重发其汗，必恍惚心乱，小便已，阴疼。”此条亦见于宋本《伤寒论》及

《脉经》，但宋本《伤寒论》“阴疼”下有“宜禹余粮”四字；《脉经》“阴疼”下有“可与禹余粮”五字。唐本脱。

唐本《伤寒论·忌下第五》曰：“咽中闭塞，忌下，下之则上轻下重，水浆不下。”宋本《伤寒论·辨不可下病脉证并治第二十》“水浆不下”句下有“卧则欲踡，身急痛，下利，日数十行”十三字。《脉经》“水浆不下”句下有“卧则欲踡，身体急痛，复下利，日十数行”十五字。唐本脱。

以上诸例显示，唐本《伤寒论》之字数少于宋本《伤寒论》，基本出于孙思邈之删节，偶或出于文句之脱落。

唐本《伤寒论》亦有宋本《伤寒论》所脱之条文。如唐本《伤寒论·忌刺第十二》一节，即为宋本《伤寒论》所脱。

大怒无刺　新内无刺　大劳无刺　大醉无刺
大饱无刺　大渴无刺　大惊无刺

无刺熇熇之热，无刺渌渌之汗，无刺浑浑之脉，无刺病与脉相逆者。

上工刺未生，其次刺未盛，其次刺其衰。工逆此者，是为伐形。

上述文字，出《灵枢·终始》及《灵枢·逆顺》，《脉经》卷七“病不可刺证第十二”引用之，《金匮玉函经》“不可刺”引用之，唐本《伤寒论》亦有此节文字，证明此节文字为六朝《辨伤寒》所有，宋本《伤寒论》偶脱之耳。此可补宋本之缺失。仲景《伤寒论·序》所云“撰用《素问》《九卷》”（“撰”同“选”），于此有徵矣。

唐本《伤寒论》之“宜”“忌”删节条文过多，方剂尽被删落，而宋本《伤寒论》之“可”“不可”的文字数量与六经病文字数量相等或稍多。唐本《伤寒论》与宋本《伤寒论》所依据底本皆为《辨伤寒》，但唐本《伤寒论》大量删节“可”与“不可”文字，所以才呈现唐本《伤寒论》文字数量少于宋本《伤寒论》的现象。

此外，唐本《伤寒论》文字数量少于宋本《伤寒论》，还有一个原因，即唐本《伤寒论》无子目、无校注、无医家列传、无后序。宋本《伤寒论》子目的纯字数达12745字，这是其字数膨胀的又一主要原因。

附二

《千金翼方》版本简考

一、《千金翼方》成书于孙思邈百岁之后

孙思邈《千金翼方》自序说，写完《备急千金要方》之后，恐有遗漏，“所以更撰方翼三十卷，共成一家之学”，林亿《校正千金翼方表》亦指出：“迨及唐世，孙思邈出，诚一代之良医也，其行事见于史传。撰《千金方》三十卷，辨论精博，囊括众家，高出于前辈，犹虑或有所遗，又撰《千金翼方》以辅之，一家之书，可谓大备矣。”但均没有说明此书撰于何时。

《千金翼方》卷二十六一段文字对考证此书成书时间颇有启发：“吾十有八，而志于医，今年过百岁，研综经方，推究孔穴，所疑更多矣！”则《千金翼方》必成于孙思邈百岁后矣。

二、《千金翼方》钞本在唐代之流传

晚唐段成式《酉阳杂俎》根据民间传说，称《备急千金要方》《千金翼方》里有得自龙宫仙方。此事《太平广记》亦有收录。这只能看作是一段美丽的民间故事和传说，无须考证，但是这段故事却反映出孙思邈的著作已经深入民间，并且被涂上了神话色彩。

《备急千金要方》与《千金翼方》曾被唐代王焘《外台秘要》多次引用，马继兴先生统计《外台秘要》“共引（《备急千金要方》及《千金翼方》）123 处 249 条”。

欲考察此书在唐代流传情况，当从《外台秘要》所引资料入手。

三、《千金翼方》宋刊本

《校定备急千金要方·后序》末附国子监牒文，称治平三年（1066）正月校毕《备急千金要方》，同年四月二十六日“奉圣旨镂版施行”。《备急千金要方》雕版颁行于治平三年四月，有明确文字记载。《千金翼方》卷末载《校正千金翼方·后序》没有写明此书何时镂版颁行，但见于北宋绍圣三年（1096）国子监牒文。本书卷首所载绍圣三年国子监牒文载于复刻何大任本《脉经》卷末，今转载之。《千金翼方》颁行后，广泛流行，见南宋晁公武《郡斋读书志》卷十五、南宋陈振孙《直斋书录解题》卷十三及南宋尤袤《遂初堂书目》医书类。

南宋王应麟《玉海》卷六十三《皇祐简要济众方》书名之下，有如下一段文字，言及《千金翼方》，原文如下。

开宝修《本草》，兴国中纂《圣惠方》，皇祐择取精者为《简要济众方》。嘉祐间，命掌禹锡等校正医书，置局编修院，后徙太学，十余年补注《本草》、修《图经》，而《外台秘要》《千金方》《翼》《金匮要略》，悉从摹印，天下皆知学古方书。

四、《千金翼方》元刊本

元大德十一年丁未（1307）十月梅溪书院据宋版刻讫《千金翼方》，于明代失传，流落日本，存于多纪元简家。

多纪元简《医賸》卷上“千金方”条云：

《翼方》世多传乾隆重刊王肯堂校本，不啻误文数行寻墨，刊脱数十页，余尝恨焉。闻城东白医家藏元版，予百计索之不敢许。丙午（1786）冬，米价腾贵，渠不能支，遽欲售之，予因鬻杂书数十帙而购之，乃大德乙巳（1305）梅溪书院所刊，文字端正，首尾完备，与王肯堂本异。余既得之喜剧。明年六月，浪华木世肃（按原注：孔恭）不量以元版前方千里邮致以贻，于是俨然双璧，始具于插架。古人云：好学之笃，又有好书济其术，不堪欣跃。聊笔于此。

多纪元简一人有两部元大德梅溪书院原刻版。多纪元简鉴于梅溪书院本是《千金翼方》最佳善本，于日本文政十二年（1829）私人聚资翻刻。

最近笔者获得多纪元简珍藏之《千金翼方》电子版，多处有多纪元简图章，乃将卷九、卷十离析之，简体录入，名曰唐本《伤寒论》，为张仲景《伤寒论》版本研究增加新的文献资料，颇感喜悦。

五、《千金翼方》明刊本

《千金翼方》明刊本以王肯堂刊本影响最大。王肯堂，字字泰，号损庵，自号念西居士。明末江苏金坛人，于万历三十三年乙巳（1605）翻刻《千金翼方》。序言称所据底本讹字甚多，可见底本不是元大德梅溪书院翻刻本。

王肯堂本刊刻不久，东传日本，日本望月三英据以翻刻，时在日本明和六年己丑（相当于清乾隆三十四年，即 1769 年）八月。

六、《千金翼方》清刊本

乾隆二十八年（1763）有华希闳刻本。华氏序云：“今《千金方》自宋元明以来多有刻本，而《翼方》则传之绝少，因购得佳刻，重刊而行之。”所谓“佳刻”，不是宋版，亦非元大德梅溪书院版，而是明王肯堂刊本。

王朴庄是第一位将唐本《伤寒论》从《千金翼方》离析出来加以校注的中医学家。王朴庄名丙，字绳孙，号朴庄，以号行。《清史稿》卷五零二“艺术传一”有传：“王丙，字朴庄，吴县人，懋修之外曾祖也，著《伤寒论注》。以唐孙思邈《千金方》仅采王叔和《伤寒论·序例》，全书载《翼方》中，次序最古，据为定本。谓方中行、喻昌等删驳《序例》，乃欲申己见，非定论。著《回澜说》，争之甚力。又著《古今权量考》，古一两准今六分七厘，一升准今七勺七抄，承学者奉以为法。”

《伤寒论注》，陆懋修校勘。陆懋修是王朴庄外曾孙，江苏元和（今苏州）人，字九芝，又字勉旃，室名世补斋，以贡生补镇江训导。其博览群书，专志于医，咸丰中期旅居上海，以医名世，以研究表彰张仲景为已任。朴庄著作赖懋修刊刻以传。陆懋修在王朴庄《伤寒论注》卷一下注云：“诸家《伤寒论》注，唯外曾祖朴庄公此注为《千金翼方》定本，兹谨合《脉经》参校。”

王朴庄《伤寒论注》所据底本为王肯堂《千金翼方》刊本，陆懋修据《脉经》逐条校勘之。笔者主编《〈伤寒杂病论〉版本通鉴》收录了王朴庄《伤寒论注》。

七、唐本《伤寒论》近代研究概况

（一）力钧

力钧（1855—1925），字轩举，号医隐，福建省福州市永泰县白云乡凤漈人，汉族，清末民初成就卓著的中医临床家、中医文献家、中西医汇通家和国学家。

力钧是研究唐本《伤寒论》的重要文献专家。他研究唐本《伤寒论》的专著收录在《芹漈医书》，该书尚待出版，笔者所见为稿本。

力钧唐本《伤寒论》专著于光绪二十八年（1902）辑成，包括以下四种：①《全本〈伤寒论〉原文》；②《唐本〈伤寒论〉异文》；③《唐本〈伤寒论〉》；④《唐本〈伤寒论〉佚文》。

力钧所据底本为日本文政十二年（1829）《千金翼方》翻刻本。力钧认为唐本《伤寒论》是六朝传本，具有重大文献价值，乃将卷九、卷十离析出来进行校雠。

力钧对唐本《伤寒论》进行了多角度研究，如搜罗佚文、辨析异文等，用工极勤，在研究《伤寒论》版本史上，是不可越过的一页。

（二）章太炎

章太炎（1869—1936），浙江余杭人，名炳麟，字枚叔，号太炎，以号行，著名民主主义革命家、著名国学家、著名中医文献学家。他既能临床，又精中医文献，其临证验方今犹有影印者。

章太炎中医文献研究之作见《章太炎全集》第八《医论集》（1994 年上海人民出版社发行）。章太炎未将唐本《伤寒论》从《千金翼方》中离析出来，而是对照宋本进行研究，取得重大成果。

第一，对宋本第 141 条三物小陷胸汤进行辨误，写三篇论文加以辨析。

（1）《论〈伤寒论〉原本及注家优劣》。

林亿等校定《伤寒论》，据开宝中节度使高继冲所进上者，以其文理舛错，施以校雠，而校语亦为成注所删。如《太阳篇》又云：‘寒实结胸，无热证者，与三物小陷胸汤，白散亦可服。’柯氏以为黄连巴豆，寒热天渊，改定其文作‘与三白小陷胸汤’，即桔梗、贝母、巴豆三物者，是不悟单论本林校有云‘一云与三物小白散’，其下即疏桔梗、巴豆、贝母方，是其证也。写者于‘三物小’下误入‘陷胸汤’三字，因于‘白散’下臆增‘亦可服’三字，方治相反，糅在一证。成注唯据此本，而不出一本异文，遂启柯氏之疑。柯所改订，于意近之矣。要之，未检单论林校，又未以《千金翼方》参证，所谓射者，非前期而中之也。林之校《伤寒论》，犹大徐之校《说文解字》也，其文简质，辍学者观之欲卧，既读诸家书，则知林校之精绝矣！

（2）《拟重刻古医书目序》。

余昔以《论》中寒实结胸，与三物小陷胸汤，白散亦可服，寒热互歧，诸家不决，因检《千金翼方》所引，但作三物小白散，而林校所引别本正与《千金翼方》同，由是素疑冰释。今成注删此校语，则终古疑滞矣！信乎，稽古之士，宜得善本而读之也！

按，“林校所引别本正与《千金翼方》同”，“别本”谓《金匮玉函经》也。章太炎《金匮玉函经校录》云：“是经与《千金翼方》同者，一，‘鞕’皆作‘坚’，阳明篇‘固瘕’亦作‘坚瘕’。二，太阳篇第十三条云：太阳病三四日不吐下，见芤乃汗之。（《伤寒论》无此条）三，太阳篇寒实结胸无热证者，与三物小白散（《伤寒论》寒实结胸无热证者，与三物小陷胸汤，白散亦可服，惟林校所引一本与此同）。”

（3）《伤寒论单论本题辞》。

林校虽简，亦甚有精善者。今据成本，寒实结胸无热证者，与三物小陷胸汤，白散亦可服。二方寒热舛驰，疑论蜂起。及检《千金翼方》则云与三物小白散，而林校所引一本，正与《千金翼方》同。成注本不著林校，则终古不可得觉矣！信乎，稽古之士，宜得善本而读之也。

第二，章太炎先生研究唐本《伤寒论》与宋本《伤寒论》版本源与流，指出“唐本”与“宋本”皆来源于六朝传本，见《伤寒论单论本题辞》，有关文字如下。

《千金翼方》所录《论》文《太阳篇》，则孙氏以己意编次，诚不如本书善。检其文字，今作“鞕”者，皆作“坚”（《千金方》同），“固瘕”亦作“坚瘕”。盖孙氏所据为梁本。（按，《新唐书·列传·隐逸·孙思邈》：“隋文帝辅政，以国子博士召，不拜，密语人曰：后五十年有圣人出，吾且助之。”是时去梁亡不及三十年，故得见梁时旧本。思邈又言，江南诸师，秘仲景法不传，是其得之甚难也。若隋平江南以后，则《仲景方》十五卷已在书府，何忧其秘乎?）继冲所献、亿等所校者为隋本，故一不避隋讳，一避隋讳也。

按，“梁本”谓南朝梁阮孝绪《七录》所载之《辨伤寒》十卷。唐本《伤寒论》与宋本《伤寒论》皆源于南朝梁阮孝绪之《辨伤寒》，不避“坚”字者，保留梁本旧貌（太阳篇经过孙思邈改编，故今之唐本已非梁本旧貌），章太炎称之为梁本；避“坚”者，章太炎称之为“隋本”。

根据章太炎先生提示，笔者绘一《伤寒论》版本传承表，见书末拉页。

附三

辑校所据底本书影参照

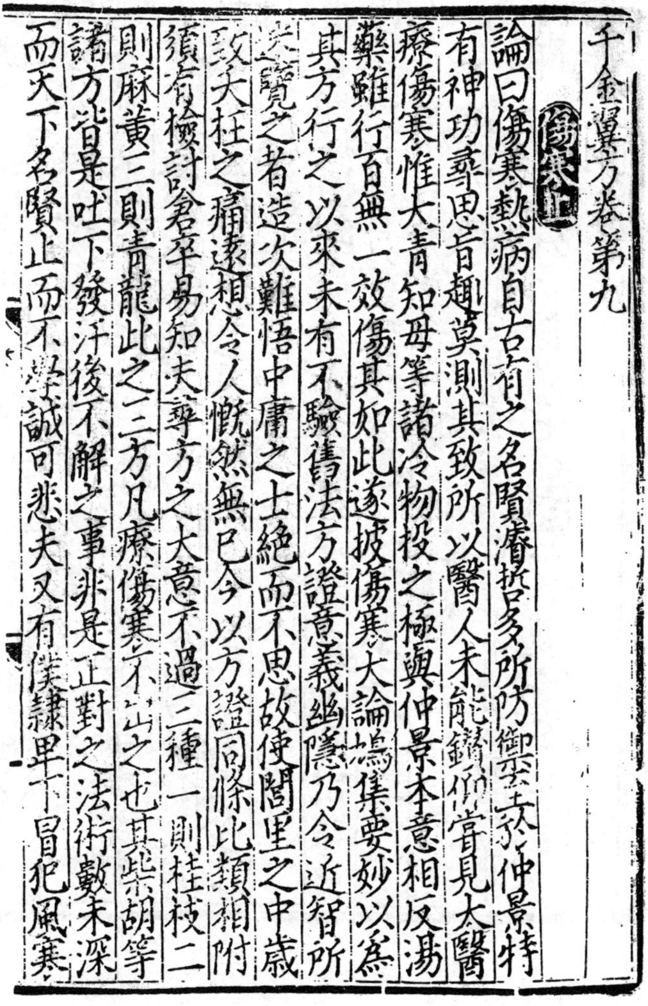
千金翼方卷第九

傷寒上

論曰傷寒熱病自古有之名賢濬哲多所防禦至於仲景特有神功尋思旨趣莫測其致所以醫人未能鑽仰嘗見太醫療傷寒惟大青知母等諸冷物投之極與仲景本意相反湯藥雖行百無一效傷其如此遂披傷寒大論鳩集要妙以為其方行之以來未有不驗舊法方證意義幽隱乃令近智所迷覽之者造次難悟中庸之士絕而不思故使閭里之中歲致夭枉之痛遠想令人慨然無已今以方證同條比類相附須有檢討倉卒易知夫尋方之大意不過三種一則桂枝二則麻黃三則青龍此之三方凡療傷寒不出之也其柴胡等諸方皆是吐下發汗後不解之事非是正對之法術數未深而天下名賢止而不學誠可悲夫又有僕隸卑下冒犯風寒

《千金翼方·卷第九·伤寒上》首页书影

桂枝肆兩 附子叁枚炮 生薑叁兩切 大棗拾貳枚擘 甘草貳兩炙

右伍味以水陸升煑取貳升去滓分溫叁服

朮附子湯方於前方中去桂加白朮肆兩即是壹服覺身痺半日許後服之盡其人如冒狀勿怪即是附子朮併走皮中逐水氣未得除故使之耳法當加桂肆兩以大便堅小便自利故不加桂也

風濕相摶骨節疼煩掣痛不得屈伸近之則痛劇汗出短氣小便不利惡風不欲去衣或身微腫甘草附子湯主之方

甘草貳兩炙 附子貳枚炮 白朮叁兩 桂枝肆兩

右肆味以水陸升煑取叁升去滓溫服壹升日叁服初服得微汗即止能食汗止復煩者將服伍合恐壹升多者後服陸柒合愈

傷寒脉結代心動悸炙甘草湯主之方

《千金翼方·卷第九·伤寒上》正文中含『摶』字书页

知本論作和

於內亡津液大便因鞕

脉浮而芤浮爲陽芤爲陰浮芤相搏胃氣則生熱其陽則絶

趺陽脉浮而濇浮則胃氣強濇則小便數浮濇相搏大便卽

堅其脾爲約麻子仁丸主之方

麻子仁貳升 芍藥 枳實炙各捌兩 大黃壹斤 厚朴壹尺炙

杏仁壹升去皮尖兩人者熬別作脂

右陸味蜜和丸如梧桐子大飲服拾圓日叁服漸加以知

爲度

傷寒發其汗則身目爲黃所以然者寒濕相搏在裏不解故

也傷寒其人發黃梔子蘗皮湯主之方

梔子拾伍枚擘 甘草 黃蘗拾伍分

右叁味以水肆升煑取貳升去滓分溫再服

傷寒瘀熱在裏身體必黃麻黃連翹赤小豆湯主之方

注：对照此页及前页书影，可以看出原书作『搏』。但现多讹作『搏』

《千金翼方·卷第九·伤寒上》正文中含『搏』字书页

卷之十
大陰病狀第一
少陰病狀第二
厥陰病狀第三
傷寒宜忌第四
發汗吐下後病狀第五
霍亂病狀第六
陰易病已後勞復第七
卷之十一
小兒第一
小兒雜治第二
眼病第三
鼻病第四

《千金翼方》卷之十目录页书影

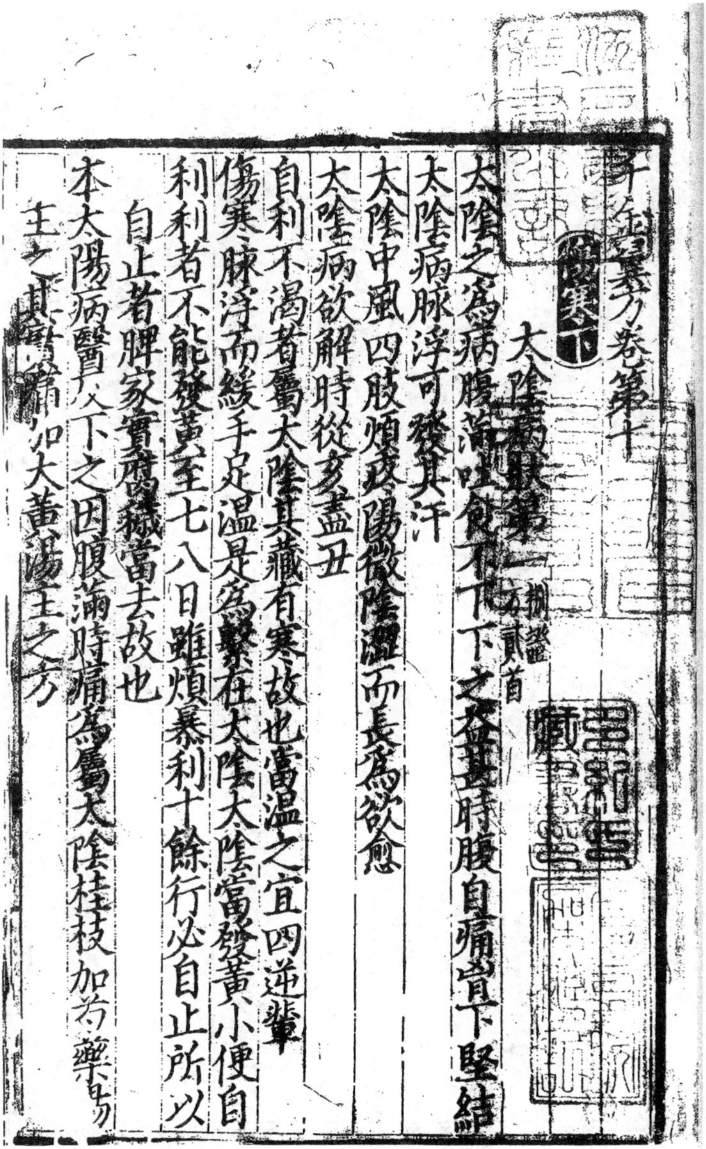

千金翼方卷第十 傷寒下

太陰病狀第一 捌證 方貳首

太陰之為病腹滿吐食不下下之益甚時腹自痛胸下堅結

太陰病脉浮可發其汗

太陰中風四肢煩疼陽微陰澀而長為欲愈

太陰病欲解時從亥盡丑

自利不渴者屬太陰其藏有寒故也當温之宜四逆輩

傷寒脉浮而緩手足温是為繫在太陰太陰當發黄小便自利利者不能發黄至七八日雖煩暴利十餘行必自止所以自止者脾家實腐穢當去故也

本太陽病醫反下之因腹滿時痛為屬太陰桂枝加芍藥湯主之其實痛加大黄湯主之方

《千金翼方·卷第十·伤寒下》首页书影

大病已後其人喜唾久久不了胷上有寒當温之宜理中丸

病人脉已解而日暮微煩者以病新差人强與穀脾胃氣尚弱不能消穀故令微煩損穀即愈

雜方附

華佗曰時病差後七日内酒肉五辛油麪生冷醋滑房室皆斷之永差

書生丁季受殺鬼丸方

虎頭骨炙 丹砂 真珠 雄黄 雌黄

鬼臼 曾青 女青 皂莢去皮子炙 桔梗

蕪荑 白芷 芎藭 白术 鬼箭削取皮羽

鬼督郵 藜蘆 菖蒲以上各貳两

右壹拾捌味擣篩蜜和如彈丸大帶之男左女右

劉次卿彈鬼丸方

正文所删之『杂方附』示例1

雄黃　丹砂各貳兩　石膏肆兩　烏頭　鼠負壹兩

右伍味以正月建除日執毆日亦得擣爲散白蠟伍兩銷器中火上消之下藥攪令凝丸如楝實以赤縠裏壹丸男左女右肘後帶之

度瘴散方

麻黃去節　升麻　附子炮去皮　白朮各壹兩　細辛

乾薑　防己　防風　桂心　烏頭炮去皮

蜀椒汗　桔梗各貳分

右壹拾貳味擣篩爲散密貯之山中所在有瘴氣之處旦空腹飲服壹錢匕覆取汗病重稍加之

老君神明白散方

白朮　附子炮去皮各貳兩　桔梗　細辛各壹兩

烏頭肆兩炮去皮

正文所删之『杂方附』示例2

附四

影印元大德本《千金翼方》卷九、卷十

千金翼方卷第九　傷寒上

論曰傷寒熱病自古有之名賢濬哲多所防禦至於仲景特有神功尋思旨趣莫測其致所以醫人未能鑽仰嘗見太醫療傷寒惟大青知母等諸冷物投之極與仲景本意相反湯藥雖行百無一效傷其如此遂披傷寒大論鳩集要妙以為其方行之以來未有不驗舊法方證意義幽隱乃令近智所迷覽之者造次難悟中庸之士絕而不思故使閭里之中歲致夭枉之痛遠想令人慨然無已今以方證同條比類相附須有檢討倉卒易知夫尋方之大意不過三種一則桂枝二則麻黃三則青龍此之三方凡療傷寒不出之也其柴胡等諸方皆是吐下發汗後不解之事非是正對之法術數未深而天下名賢止而不學誠可悲夫又有僕隸卑下冒犯風寒天行疫癘先被其毒憫之酸心聊述茲意為之救法方雖是舊弘之惟新好古君子嘉其博濟之利無嗤誚焉

太陽病用桂枝湯法第一 伍拾柒證 方伍首

論曰傷寒與痓病濕病及熱暍相濫故敘而論之

太陽病發熱無汗而反惡寒是為剛痓

太陽病發熱汗出而不惡寒是為柔痓 一云惡寒

太陽病發熱其脉沈細是為痓

太陽病發其汗因致痓

病者身熱足寒頸項強惡寒時頭熱面赤目脉赤獨頭動搖是為痓

右件痓狀

太陽病而關節疼煩其脉沈緩為中濕

病者一身盡疼煩日晡即劇此為風濕汗出所致也

濕家之為病一身盡疼發熱而身色似熏黃也

濕家之為病其人但頭汗出而背強欲得被覆若下之早即噦或胸滿小便利舌上如胎此為丹田有熱胸上有寒渴欲飲則不能飲而口燥也

濕家下之額上汗出微喘小便利者死下利不止者亦死

問曰病風濕相搏身體疼痛法當汗出而解值天陰雨溜下不止師云此可發汗而其病不愈者何故荅曰發其汗汗大出者但風氣去濕氣續在是故不愈若治風濕者發其汗微微似欲出汗者則風濕俱去也

病人喘頭痛鼻窒而煩其脉大自能飲食腹中獨和無病病在頭中寒濕故鼻窒內藥鼻中即愈

右件濕狀

太陽中熱暍是也其人汗出惡寒身熱而渴也

太陽中暍身熱疼重而脉微弱此以夏月傷冷水水行皮膚中也

太陽中暍發熱惡寒身重而疼痛其脉弦細芤遲小便已洗然手足逆冷小有勞熱口前開板齒燥若發其汗惡寒則甚加溫針發熱益甚數下之淋復甚

右件暍狀

太陽之為病頭項強痛而惡寒

太陽病其脉浮

太陽病發熱汗出而惡風其脉緩為中風

太陽中風發熱而惡寒

太陽病三四日不吐下見芤乃汗之

夫病有發熱而惡寒者發於陽也不熱而惡寒者發於陰也發於陽者七日愈發於陰者六日愈以陽數七陰數六故也

太陽病頭痛至七日以上自愈者其經竟故也若欲作再經
者針足陽明使經不傳則愈
太陽病欲解時從巳盡未
風家表解而不了了者十二日愈
太陽中風陽浮而陰濡弱浮者熱自發濡弱者汗自出濇濇
惡寒淅淅惡風翕翕發熱鼻鳴乾嘔者桂枝湯主之
太陽病發熱汗出此為榮弱衛強故使汗出以救邪風桂枝
湯主之
太陽病頭痛發熱汗出惡風桂枝湯主之
太陽病項背強几几而反汗出惡風桂枝湯主之本論云桂枝加葛根湯
太陽病下之其氣上衝可與桂枝湯不衝不可與之
太陽病三日已發汗吐下溫針而不解此為壞病桂枝湯復
不中與也觀其脉證知犯何逆隨證而治之

桂枝湯本為解肌其人脉浮緊發熱無汗不可與也常識此
勿令誤也
酒客不可與桂枝湯得之則嘔酒客不喜甘故也
喘家作桂枝湯加厚朴杏仁佳
服桂枝湯吐者其後必吐膿血
太陽病初服桂枝湯而反煩不解者當先刺風池風府乃却
與桂枝湯則愈
太陽病外證未解其脉浮弱當以汗解宜桂枝湯
太陽病下之微喘者表未解故也宜桂枝湯一云麻黃湯
太陽病有外證未解不可下之下之為逆解外宜桂枝湯
太陽病先發汗不解而下之其脉浮不愈浮為在外而反下
之故令不愈今脉浮故在外當解其外則愈宜桂枝湯
病常自汗出此為榮氣和衛氣不和故也榮行脉中衛行脉

外復發其汗衛和則愈宜桂枝湯
病人藏無他病時發熱自汗出而不愈此衛氣不和也先其
時發汗愈宜桂枝湯
傷寒不大便六七日頭痛有熱與承氣湯其大便反青此為
不在裏故在表也當發其汗頭痛者必衄宜桂枝湯
傷寒發汗已解半日許復煩其脉浮數可復發其汗宜服桂
枝湯
傷寒醫下之後身體疼痛清便自調急當救表宜桂枝湯
太陽病未解其脉陰陽俱停必先振汗出而解但陽微者先
汗之而解宜桂枝湯
太陽病未解熱結膀胱其人如狂其血必自下下者即愈其
外未解尚未可攻當先解其外宜桂枝湯
傷寒大下後復發汗心下痞惡寒者不可攻痞當先解表宜

桂枝湯
桂枝湯方
桂枝　芍藥　生薑各叄兩切　甘草貳兩炙　大棗拾貳枚擘
右伍味㕮咀叄味以水柒升微火煑取叄升去滓溫服壹
升須臾飲熱粥壹升餘以助藥力溫覆令汗出壹時許益
善若不汗再服如前復不汗後服小促其間令半日許叄
服病重者壹日壹夜乃差當晬時觀之服壹劑湯病證猶
在當復作服之至有不汗出當服叄劑乃解
太陽病發其汗遂漏而不止其人惡風小便難四肢微急難
以屈伸桂枝加附子湯主之桂枝中加附子壹枚炮即是
太陽病下之其脉促胸滿者桂枝去芍藥湯主之若微寒者
桂枝去芍藥湯中加附子壹枚
即是

太陽病得之八九日如瘧發熱而惡寒熱多而寒少其人不
嘔清便欲自可一日再三發其脉微緩者爲欲愈脉微而
惡寒者此爲陰陽俱虛不可復吐下發汗也面色反有熱
者爲未欲解以其不能得汗出身必當癢桂枝麻黃各半
湯主之
桂枝 壹兩拾陸銖　芍藥　生薑 切　甘草 炙
麻黃 去節各壹兩　大棗 肆枚擘　杏仁 貳拾肆枚去皮尖兩仁者
右柒味以水伍升先煑麻黃壹貳沸去上沫內諸藥煑取
壹升捌合去滓溫服陸合本云桂枝湯叁合麻黃湯叁合
并爲陸合頓服
服桂枝湯大汗出若脉洪大與桂枝湯其形如瘧壹日再發
汗出便解宜桂枝貳麻黃壹湯方
桂枝 壹兩拾柒銖　麻黃 拾陸銖　生薑 切　芍藥 各壹兩陸銖

甘草 壹兩貳銖炙　大棗 伍枚擘　杏仁 拾陸枚去皮尖兩仁者
右柒味以水柒升煑麻黃壹貳沸去上沫內諸藥煑取貳
升去滓溫服壹升日再服本云桂枝湯貳分麻黃湯壹分
合爲貳升分貳服今合爲一方
太陽病發熱惡寒熱多寒少脉微弱則無陽也不可發汗桂
枝二越婢一湯主之方
桂枝　芍藥　甘草 炙　麻黃 去節各拾捌銖
生薑 壹兩叁銖切　石膏 貳拾肆銖碎　大棗 肆枚擘
右柒味以水伍升先煑麻黃一二沸去上沫內諸藥煑取
貳升去滓溫服壹升本云當裁爲越婢湯桂枝合之飲壹
升今合爲壹方桂枝湯貳分
服桂枝湯下之頸項強痛翕翕發熱無汗心下滿微痛小便
不利桂枝去桂加茯苓白朮湯主之方

茯苓　白朮 各叁兩
右於桂枝湯中惟除去桂枝壹味加此貳味爲湯服壹升
小便即利本云桂枝湯今去桂枝加茯苓白朮
太陽病用麻黃湯法第二 壹拾陸證方肆首
太陽病或已發熱或未發熱必惡寒體痛嘔逆脉陰陽俱緊
爲傷寒
傷寒一日太陽脉弱至四日太陰脉大
傷寒一日太陽受之脉若靜者爲不傳頗欲嘔若躁煩脉數
急者乃爲傳
傷寒其二陽證不見此爲不傳
太陽病頭痛發熱身體疼腰痛骨節疼惡風無汗而喘麻黃
湯主之
太陽與陽明合病喘而胸滿不可下也宜麻黃湯

病十日已去其脉浮細嗜卧此爲外解設胸滿脅痛與小柴
胡湯浮者麻黃湯主之
太陽病脉浮緊無汗而發熱其身疼痛八九日不解其表證
仍在此當發其汗服藥微除其人發煩目瞑增劇者必衄
衄乃解所以然者陽氣重故也宜麻黃湯
脉浮而數者可發其汗宜麻黃湯
傷寒脉浮緊不發其汗因致衄宜麻黃湯
脉浮而緊浮則爲風緊則爲寒風則傷衛寒則傷榮榮衛俱
病骨節煩疼可發其汗宜麻黃湯
太陽病下之微喘者外未解故也宜麻黃湯 壹云桂枝湯
麻黃湯方
麻黃 去節叁兩　桂枝 貳兩　甘草 壹兩炙　杏仁 柒拾枚去皮尖兩仁者
右肆味以水玖升煑麻黃減貳升去上沫內諸藥煑取貳

升半去滓温服捌合覆取微似汗不須啜粥餘如桂枝法
太陽病項背強几几無汗惡風葛根湯主之方
葛根肆兩　麻黄叁兩去節　桂枝　芍藥　甘草炙各貳兩
生薑切叁兩　大棗拾貳枚擘
右柒味以水壹斗煑麻黄葛根減貳升去上沫内諸藥煑
取叁升去滓分温叁服不須與粥取微汗
太陽與陽明合病而自利葛根湯主之用上方一云用後葛根黄芩黄連湯
不下利但嘔葛根加半夏湯主之葛根湯中加半夏半升洗
即是
太陽病桂枝證醫反下之遂利不止其脉促表未解喘而汗
出宜葛根黄芩黄連湯方
葛根半斤　甘草炙貳兩　黄芩　黄連各叁兩
右肆味以水捌升先煑葛根減貳升内諸藥煑取貳升去

滓分温再服
太陽病用青龍湯法第三肆證方貳首
太陽中風脉浮緊發熱惡寒身體疼痛不汗出而煩大青龍
湯主之若脉微弱汗出惡風者不可服之服之則厥筋惕肉
瞤此為逆也方
麻黄去節陸兩　桂枝貳兩　甘草炙貳兩　杏仁肆拾枚去皮尖兩仁者
生薑切叁兩　大棗拾枚擘　石膏如雞子大碎綿裹
右柒味以水玖升先煑麻黄減貳升去上沫内諸藥煑取
叁升去滓温服壹升取微似汗汗出多者温粉粉之壹服
汗者勿再服若復服汗出多亡陽逆虚惡風躁不得眠
傷寒脉浮緩其身不疼但重乍有輕時無少陰證者可與大
青龍湯發之方用上
傷寒表不解心下有水氣欬而發熱或渴或利或噎或小便

不利少腹滿或喘者小青龍湯主之方
麻黄去節叁兩　芍藥　細辛　乾薑　甘草炙
桂枝各叁兩　五味子　半夏各半升洗
右捌味以水壹斗先煑麻黄減貳升去上沫内諸藥煑取
叁升去滓温服壹升渴則去半夏加栝樓根叁兩微利者
去麻黄加蕘花壹雞子大熬令赤色噎者去麻黄加附子
壹枚炮小便不利少腹滿去麻黄加茯苓肆兩喘者去麻
黄加杏仁半升去皮
傷寒心下有水氣欬而微喘發熱不渴服湯已而渴者此為
寒去為欲解小青龍湯主之方用上
太陽病用柴胡湯法第四壹拾伍證方柒首
血弱氣盡腠理開邪氣因入與正氣相摶在於脅下正邪分
爭往來寒熱休作有時嘿嘿不欲食飲藏府相連其痛必

下邪高痛下故使其嘔小柴胡湯主之服柴胡而渴者此
為屬陽明以法治之
得病六七日脉遲浮弱惡風寒手足温醫再三下之不能食
其人脅下滿痛面目及身黄頸項強小便難與柴胡湯後
必下重本渴飲水而嘔柴胡復不中與也食穀者噦
傷寒四五日身體熱惡風頸項強脅下滿手足温而渴小柴
胡湯主之
傷寒陽脉澀陰脉弦法當腹中急痛先與小建中湯不差與
小柴胡湯小建中湯見雜療門中
傷寒中風有柴胡證但見一證便是不必悉具也凡柴胡湯
證而下之柴胡證不罷復與柴胡湯解者必蒸蒸而振却
發熱汗出而解傷寒五六日中風往來寒熱胷脅苦滿嘿
嘿不欲飲食心煩喜嘔或胷中煩而不嘔或渴或腹中痛

或胸下痞堅或心下悸小便不利或不渴外有微熱或欬
小柴胡湯主之
柴胡八兩　黃芩　人參　甘草炙　生薑各三兩切
半夏半升洗　大棗拾貳枚擘
右柒味以水壹斗貳升煮取陸升去滓再煎溫服壹升日
叁著胸中煩不嘔者去半夏人參加栝樓實壹枚渴者去
半夏加人參合前成四兩半腹中痛者去黃芩加芍藥三
兩脅下痞堅者去大棗加牡蠣陸兩心下悸小便不利者
去黃芩加茯苓肆兩不渴外有微熱者去人參加桂叁兩
溫覆微發其汗欬者去人參大棗生薑加五味子半升乾
薑貳兩
傷寒五六日頭汗出微惡寒手足冷心下滿口不欲食大便
堅其脈細此為陽微結必有表復有裏沉則為病在裏汗出

亦為陽微假令純陰結不得有外證悉入在於裏此為半在
外半在裏脈雖沉緊不得為少陰所以然者陰不得有汗今
頭大汗出故知非少陰也可與柴胡湯設不了了者得屎而
解用上方
傷寒十三日不解胸脅滿而嘔日晡所發潮熱而微利此本
當柴胡下之不得利今反利者故知醫以丸藥下之非其治
也潮熱者實也先再服小柴胡湯以解其外後以柴胡加芒
消湯主之方
柴胡貳兩拾陸銖　黃芩　人參　甘草炙
生薑各壹兩切　半夏壹合洗　大棗肆枚擘　芒硝貳兩
右柒味以水肆升煮取貳升去滓溫分再服以解其外不
解更作
柴胡加大黃芒消桑螵蛸湯方

右以前柒味以水柒升下芒消叁合大黃肆分桑螵蛸伍
枚煮取壹升半去滓溫服伍合微下即愈本云柴胡湯再
服以解其外餘貳升加芒消大黃桑螵蛸也
傷寒八九日下之胸滿煩驚小便不利譫語一身不可轉側
柴胡加龍骨牡蠣湯主之方
柴胡肆兩　黃芩　人參　生薑切　龍骨
牡蠣熬　桂枝　茯苓　鉛丹各壹兩半　大黃貳兩
半夏壹合半洗　大棗陸枚擘
右壹拾貳味以水捌升煮取肆升內大黃切如棊子大更
煮壹兩沸去滓溫服壹升本云柴胡湯今加龍骨等
傷寒六七日發熱微惡寒支節煩疼微嘔心下支結外證未
去者宜柴胡桂枝湯
發汗多亡陽狂語者不可下以為可與柴胡桂枝湯和其榮

衛以通津液後自愈方
柴胡肆兩　黃芩　人參　生薑切　桂枝
芍藥各壹兩半　半夏貳合半洗　甘草壹兩炙　大棗陸枚擘
右玖味以水陸升煮取貳升去滓溫服壹升本云人參湯
作如桂枝法加柴胡黃芩復如柴胡法今用人參作半劑
傷寒五六日其人已發汗而復下之胸脅滿微結小便不利
渴而不嘔但頭汗出往來寒熱而煩此為未解柴胡桂枝乾
薑湯主之方
柴胡捌兩　桂枝叁兩　乾薑貳兩　栝樓根肆兩　黃芩叁兩
牡蠣貳兩熬　甘草貳兩炙
右柒味以水壹斗貳升煮取陸升去滓更煎溫服壹升日
貳服初服微煩汗出愈
太陽病過經十餘日反再三下之後四五日柴胡證續在先

與小柴胡湯嘔止小安其人鬱鬱微煩者為未解與大柴胡
湯下者止
傷寒十餘日邪氣結在裏欲復往來寒熱當與大柴胡湯
傷寒發熱汗出不解心中痞堅嘔吐下利者大柴胡湯主之
病人表裏無證發熱七八日雖脉浮數可下之宜大柴胡湯
方
柴胡(捌兩) 枳實(肆枚炙) 生薑(伍兩切) 黃芩(叁兩) 芍藥(叁兩)
半夏(半升洗) 大棗(拾貳枚擘)
右柒味以水壹斗貳升煑取陸升去滓更煎溫服壹升日
叁服壹方加大黃貳兩若不加恐不名大柴胡湯
太陽病用承氣湯法第五(玖證 方肆首)
發汗後惡寒者虛故也不惡寒但熱者實也當和其胃氣宜
小承氣湯
太陽病未解其脉陰陽俱停必先振汗出而解但陽微者先

汗出而解陰微者先下之而解宜承氣湯(一云大柴胡湯)
傷寒十三日過經而譫語內有熱也當以湯下之小便利者
大便當堅而反利其脉調和者知醫以丸藥下之非其治也
自利者其脉當微厥今反和者此為內實宜承氣湯
太陽病過經十餘日心下溫溫欲吐而胸中痛大便反溏其
腹微滿鬱鬱微煩先時自極吐下者宜承氣湯
二陽併病太陽證罷但發潮熱手足漐漐汗出大便難譫語
者下之愈宜承氣湯
太陽病三日發其汗不解蒸蒸發熱者調胃承氣湯主之
傷寒吐後腹滿者承氣湯主之
太陽病吐下發汗後微煩小便數大便因堅可與小承氣湯
和之則愈
承氣湯方

大黃(肆兩) 厚朴(捌兩炙) 枳實(伍枚炙) 芒消(叁合)
右肆味以水壹斗先煑貳味取伍升內大黃更煑取貳升
去滓內芒消更煎壹沸分再服得下者止
又方
大黃(肆兩) 厚朴(貳兩炙) 枳實(大者叁枚炙)
右叁味以水肆升煑取壹升貳合去滓溫分再服初服譫
語即止服湯當更衣不爾盡服之
又方
大黃(肆兩) 甘草(貳兩炙) 芒消(半兩)
右叁味以水叁升煑取壹升去滓內芒消更壹沸頓服
太陽病不解熱結膀胱其人如狂血自下下者即愈其外不
解尚未可攻當先解其外外解少腹急結者乃可攻之宜桃
核承氣湯方

桃仁(伍拾枚去皮尖) 大黃(肆兩) 桂枝(貳兩) 甘草(貳兩炙)
芒消(貳兩)
右伍味以水柒升煑取貳升半去滓內芒消更煎壹沸分
溫叁服
太陽病用陷胸湯法第六(叁拾壹證 方壹拾陸首)
問曰病有結胸有藏結其狀何如答曰按之痛其脉寸口浮
關上自沈為結胸何謂藏結曰如結胸狀飲食如故時下利
陽脉浮關上細沈而緊名為藏結舌上白胎滑者為難治藏
結者無陽證不往來寒熱其人反靜舌上胎滑者不可攻也
夫病發於陽而反下之熱入因作結胸發於陰而反汗之因
作痞結胸者下之早故令結胸結胸者其項亦強如柔痓狀
下之即和宜大陷胸丸
結胸證其脉浮大不可下之下之即死

結胷證悉具煩躁者死
太陽病脉浮而動數浮則爲風數則爲熱動則爲痛數則爲虛頭痛發熱微盜汗出而反惡寒其表未解醫反下之動數則遲頭痛即眩胷中空虛客氣動膈短氣躁煩心中懊憹陽氣內陷心下因堅則爲結胷大陷胷湯主之若不結胷但頭汗出其餘無汗劑頸而還小便不利身必發黃
傷寒六七日結胷熱實脉沉緊心下痛按之如石堅大陷胷湯主之
但結胷無大熱此爲水結在胷脅頭微汗出大陷胷湯主之
太陽病重發汗而復下之不大便五六日舌上燥而渴日晡如小有潮熱從心下至少腹堅滿而痛不可近大陷胷湯主之若心下滿而堅痛者此爲結胷大陷胷湯主之

大陷胷丸方

大黃 捌兩 葶藶子 熬 杏仁 去皮尖兩仁者 芒消 各半升
右肆味和擣取如彈丸壹枚甘遂末壹錢匕白蜜壹兩水貳升合煮取壹升溫頓服壹宿乃下

大陷胷湯方

大黃 陸兩 甘遂末 壹錢匕 芒消 壹升
右叁味以水陸升先煮大黃取貳升去滓內芒消煎壹兩沸內甘遂末分再服壹服得快利止後服
小結胷者正在心下按之即痛其脉浮滑小陷胷湯主之
黃連 壹兩 半夏 半升洗 括樓實 大者壹枚
右叁味以水陸升先煮括樓取叁升去滓內諸藥煮取貳升去滓分溫叁服
太陽病貳叁日不能臥但欲起者心下必結其脉微弱者此本寒也而反下之利止者必結胷未止者四五日復重下之此爲挾熱利
太陽少陽併病而反下之結胷心下堅下利不復止水漿不肯下其人必心煩
病在陽當以汗解而反以水噀之若灌之其熱却不得去益煩皮粟起意欲飲水反不渴宜服文蛤散方
文蛤 伍兩
右壹味擣爲散以沸湯伍合和服壹方寸匕若不差與五苓散

五苓散方

豬苓 拾捌銖去黑皮 白朮 拾捌銖 澤瀉 壹兩陸銖 茯苓 拾捌銖 桂枝 半兩
右伍味各爲散更於臼中治之白飲和服方寸匕日叁服多飲煖水汗出愈
寒實結胷無熱證者與三物小白散方
桔梗 拾捌銖 巴豆 陸銖去皮心熬赤黑研如脂 貝母 拾捌銖
右叁味擣爲散內巴豆更於臼中治之白飲和服強人半錢匕羸者減之病在上則吐在下則利不利進熱粥一杯利不止進冷粥一杯 一云冷水一杯 身熱皮粟不解欲引衣自覆若以水噀之洗之更益令熱却不得出當汗而不汗即煩假令汗出已腹中痛與芍藥叁兩如上法
太陽與少陽併病頭痛或眩冒如結胷心下痞而堅當刺肺俞肝俞大椎第一間慎不可發汗發汗即譫語譫語則脉弦五日譫語不止當刺期門
心下但滿而不痛者此爲痞半夏瀉心湯主之
半夏 半升洗 黃芩 乾薑 人參 甘草 各叁兩炙 黃連 壹兩 大棗 拾貳枚擘
右柒味以水壹斗煮取陸升去滓溫服壹升日叁服

脉浮緊而下之緊反入裏則作痞按之自濡但氣痞耳
太陽中風吐下嘔逆表解乃可攻之其人漐漐汗出發作有
時頭痛心下痞堅滿引脇下乾嘔即短氣此爲表解裏未和十
棗湯主之方
芫花熬 甘遂 大戟各等分
右叁味擣爲散以水壹升伍合先煑大棗拾枚取捌合去
棗強人內藥末壹錢匕羸人半錢匕温服平旦服若下少
不利者明旦更服加半錢得快下糜粥自養
太陽病發其汗遂發熱惡寒復下之則心下痞此表裏俱虛
陰陽氣併竭無陽則陰獨復加燒鍼胸煩面色青黄膚瞤此
爲難治今色微黄手足温者易愈
心下痞按之自濡關上脉浮者大黄黄連瀉心湯主之方
大黄貳兩 黄連壹兩

右貳味以麻沸湯貳升漬之須臾去滓分温再服此方必有黄芩
心下痞而復惡寒汗出者附子瀉心湯主之方
附子壹枚炮別煑取汁 大黄貳兩 黄連 黄芩各壹兩
右肆味以麻沸湯貳升漬之須臾去滓內附子汁分温再服
本以下之故心下痞與之瀉心其痞不解其人渴而口燥煩
小便不利者五苓散主之一方言忍之一日乃愈用上方
傷寒汗出解之後胃中不和心下痞堅乾噫食臭脅下有水
氣腹中雷鳴而利生薑瀉心湯主之方
生薑肆兩切 半夏半升洗 乾薑壹兩 黄連壹兩 人參
黄芩 甘草各叁兩炙 大棗拾貳枚擘
右捌味以水壹斗煑取陸升去滓温服壹升日叁服
傷寒中風醫反下之其人下利日數拾行穀不化腹中雷鳴
心下痞堅而滿乾嘔而煩不能得安醫見心下痞爲病不盡

復重下之其痞益甚此非結熱但胃中虛客氣上逆故使之
堅甘草瀉心湯主之方
甘草肆兩炙 黄芩 乾薑各叁兩 黄連壹兩 半夏半升洗
大棗拾貳枚擘 一方有人參叁兩
右陸味以水壹斗煑取陸升去滓温服壹升日叁服
傷寒服湯藥下利不止心下痞堅服瀉心湯復以他藥下之
利不止醫以理中與之而利益甚理中治中焦此利在下焦
赤石脂禹餘粮湯主之方
赤石脂壹斤碎 太一禹餘粮壹斤碎
右貳味以水陸升煑取貳升去滓分温叁服若不止當利
小便
傷寒吐下發汗虛煩脉甚微八九日心下痞堅脅下痛氣上
衝喉咽眩冒經脉動惕者久而成痿

傷寒發汗吐下解後心下痞堅噫氣不除者旋復代赭湯主
之方
旋復花叁兩 人參貳兩 生薑伍兩切 代赭壹兩碎 甘草叁兩炙
半夏半升洗 大棗拾貳枚擘
右柒味以水壹斗煑取陸升去滓温服壹升日叁服
太陽病外證未除而數下之遂挾熱而利不止心下痞堅表
裏不解桂枝人參湯主之方
桂枝肆兩別切 甘草肆兩炙 白术 人參 乾薑各貳兩
右伍味以水玖升先煑肆味取伍升去滓內桂更煑取叁
升去滓温服壹升日再夜壹服
傷寒大下後復發其汗心下痞惡寒者表未解也不可攻其
痞當先解表表解乃攻其痞宜大黄黄連瀉心湯用上方
病似桂枝證頭項不強痛脉微浮胸中痞堅氣上衝喉咽不

得之心此爲胷有寒當吐之宜瓜蔕散方

瓜蔕 熬　赤小豆 各壹分

右貳味擣爲散取半錢匕豉壹合湯柒合漬之須臾去滓内散湯中和頓服之若不吐稍加之得快吐止諸亡血虛家不可與瓜蔕散

太陽病雜療法第七 貳拾證方壹拾參首

中風發熱六七日不解而煩有表裏證渴欲飲水水入而吐此爲水逆五苓散主之 方見結胷門中

傷寒二三日心中悸而煩者小建中湯主之方

桂枝 參兩　甘草 貳兩炙　芍藥 陸兩　生薑 參兩切　大棗 拾貳枚擘

膠飴 壹升

右陸味以水柒升煮取參升去滓内飴温服壹升嘔家不可服以甘故也

傷寒脉浮而醫以火迫劫之亡陽驚狂卧起不安桂枝去芍藥加蜀漆牡蠣龍骨救逆湯主之方

桂枝　生薑 切　蜀漆 洗去腥 各參兩　甘草 貳兩炙

牡蠣 伍兩熬　龍骨 肆兩　大棗 拾貳枚擘

右柒味以水捌升先煮蜀漆減貳升内諸藥煮取參升去滓温服壹升 一法以水壹斗貳升煮取伍升

燒針令其汗針處被寒核起而赤者必發奔豚氣從少腹上衝者灸其核上一壯與桂枝加桂湯方

桂枝 伍兩　芍藥　生薑 各參兩　大棗 拾貳枚擘　甘草 貳兩炙

右伍味以水柒升煮取參升去滓温服壹升本云桂枝湯今加桂滿伍兩所以加桂者以能洩奔豚氣也

火逆下之因燒針煩躁者桂枝甘草龍骨牡蠣湯主之方

桂枝 壹兩　甘草　龍骨　牡蠣 各貳兩熬

右肆味以水伍升煮取貳升去滓温服捌合日參服

傷寒加温針必驚

太陽病六七日表證續在脉微而沉反不結胷其人發狂者以熱在下焦少腹堅滿小便自利者下血乃愈所以然者以太陽隨經瘀熱在裏故也宜下之以抵當湯

太陽病身黄脉沉結少腹堅小便不利者爲無血小便自利其人如狂者血證諦也抵當湯主之

傷寒有熱少腹滿應小便不利今反利者爲有血也當須下之不可餘藥宜抵當丸

抵當湯方

大黄 貳兩破陸片　桃仁 貳拾枚去皮尖熬

水蛭 熬　蝱蟲 去足翅熬 各參拾枚

右肆味以水伍升煮取參升去滓温服壹升不下更服

抵當丸方

大黄 參兩　桃仁 貳拾伍枚去皮尖熬　蝱蟲 去足翅熬　水蛭 熬 各貳拾枚

右肆味擣分爲肆丸以水壹升煮壹丸取柒合服晬時當下不下更服

婦人中風發熱惡寒經水適來得七八日熱除而脉遲身涼胷脅下滿如結胷狀譫語此爲熱入血室當刺期門隨其虛實而取之

婦人中風七八日續得寒熱發作有時經水適斷者此爲熱入血室其血必結故使如瘧狀發作有時小柴胡湯主之 方見柴胡湯門

婦人傷寒發熱經水適來晝日了了暮則譫語如見鬼狀此爲熱入血室無犯胃氣及上二焦必當自愈

傷寒無大熱口燥渴而煩其背微惡寒白虎湯主之

傷寒脉浮發熱無汗其表不解不可與白虎湯渴欲飲水無
表證白虎湯主之
傷寒脉浮滑此以表有熱裏有寒白虎湯主之方
知母陸兩 石膏壹斤碎 甘草貳兩炙 粳米陸合
右肆味以水壹斗煑米熟湯成去滓温服壹升日叁服
又方
知母陸兩 石膏壹斤碎 甘草貳兩炙 人參叁兩 粳米陸合
右伍味以水壹斗煑米熟湯成去滓温服壹升日叁服立
夏後至立秋前得用之立秋後不可服春三月病常苦裏
冷白虎湯亦不可與之與之即嘔利而腹痛諸亡血及虛
家亦不可與白虎湯得之則腹痛而利但當温之
太陽與少陽合病自下利者與黃芩湯若嘔者與黃芩加半
夏生薑湯

黃芩湯方
黃芩叁兩 芍藥 甘草各貳兩炙 大棗壹拾貳枚擘
右肆味以水壹斗煑取叁升去滓温服壹升日再夜壹服
黃芩加半夏生薑湯方
半夏半升洗 生薑壹兩半切
右貳味加入前方中即是
傷寒胷中有熱胃中有邪氣腹中痛欲嘔吐黃連湯主之方
黃連 甘草炙 乾薑 桂枝 人參各叁兩
半夏半升洗 大棗拾貳枚擘
右柒味以水壹斗煑取陸升去滓温分伍服晝叁夜貳服
傷寒八九日風濕相搏身體疼煩不能自轉側不嘔不渴下
已脉浮而緊桂枝附子湯主之若其人大便堅小便自利术
附子湯主之方

桂枝肆兩 附子叁枚炮 生薑叁兩切 大棗拾貳枚擘 甘草貳兩炙
右伍味以水陸升煑取貳升去滓分温叁服
术附子湯方於前方中去桂加白术肆兩即是壹服覺身痺
半日許復服之盡其人如冒狀勿怪即是附子术併走皮
中逐水氣未得除故使之耳法當加桂肆兩以大便堅小
便自利故不加桂也
風濕相搏骨節疼煩掣痛不得屈伸近之則痛劇汗出短氣
小便不利惡風不欲去衣或身微腫甘草附子湯主之方
甘草貳兩炙 附子貳枚炮 白术叁兩 桂枝肆兩
右肆味以水陸升煑取叁升去滓温服壹升日叁服初服
得微汗即止能食汗止復煩者將服伍合恐壹升多者
後服陸柒合愈
傷寒脉結代心動悸炙甘草湯主之方

甘草肆兩炙 桂枝 生薑各叁兩切 麥門冬去心半升
麻子仁半升 人參 阿膠各貳兩 大棗叁拾枚擘 生地黃壹斤切
右玖味以清酒柒升水捌升煑取叁升去滓內膠消烊盡
温服壹升日叁服
陽明病狀第八 柒拾伍證 方壹拾壹首
陽明之為病胃中寒是也
問曰病有太陽陽明有正陽陽明有微陽陽明何謂也答曰
太陽陽明者脾約是也正陽陽明者胃家實是也微陽陽明
者發其汗若利其小便胃中燥便難是也
問曰何緣得陽明病答曰太陽病發其汗若下之亡其津液
胃中乾燥因為陽明不更衣而便難復為陽明病也
問曰陽明病外證云何答曰身熱汗出而不惡寒但反惡熱
問曰病有得之一日發熱惡寒者何答曰然雖一二日惡寒自

罷即汗出惡熱也曰惡寒何故自罷答曰陽明處中主土萬
物所歸無所復傳故始雖惡寒二日自止是爲陽明病
太陽初得病時發其汗汗先出復不徹因轉屬陽明
病發熱無汗嘔不能食而反汗出濈濈然是爲轉在陽明
傷寒三日陽明脉大
病脉浮而緩手足溫是爲繫在太陰太陰當發黃小便自利
者不能發黃至七八日而堅爲屬陽明
傷寒傳繫陽明者其人濈然後汗出
陽明中風口苦咽乾腹滿微喘發熱惡寒脉浮若緊下之則
腹滿小便難也
陽明病能食爲中風不能食爲中寒
陽明病中寒不能食而小便不利手足濈然汗出此爲欲作
堅瘕也必頭堅後溏所以然者胃中冷水穀不別故也

陽明病初爲欲食之小便反不數大便自調其人骨節疼翕
翕如有熱狀奄然發狂濈然汗出而解此爲水不勝穀氣與
汗共并堅者即愈
陽明病欲解時從申盡戌
陽明病不能食下之不解其人不能食攻其熱必噦所以然
者胃中虛冷故也其人本虛攻其熱必噦
陽明病脉遲食難用飽飽即微煩頭眩者必小便難此欲作
穀疸雖下之其腹必滿如故耳所以然者脉遲故也
陽明病久久而堅者陽明病當多汗而反無汗其身如蟲行
皮中之狀此爲久虛故也
冬陽明病反無汗但小便利二三日嘔而欬手足若厥者其
人頭必痛若不嘔不欬手足不厥者頭不痛
冬陽明病但頭眩不惡寒故能食而欬者其人咽必痛若不

本論有也字
本論有經字

欬者咽不痛
陽明病脉浮而緊其熱必潮發作有時但浮者必盜汗出
陽明病無汗小便不利心中懊憹必發黃
陽明病被火額上微汗出而小便不利必發黃
陽明病口燥但欲漱水不欲咽者必衄
陽明病本自汗出醫復重發其汗病已差其人微煩不了了
此大便堅也必亡津液胃中燥故令其堅當問小便日幾行
若本日三四行今日再行者必知大便不久出今爲小便數
少津液當還入胃中故知必當大便也
夫病陽多者熱下之則堅汗出多極發其汗亦堅
傷寒嘔多雖有陽明證不可攻也
陽明病當心下堅滿不可攻之攻之遂利不止者利止者愈
陽明病合色赤不可攻之必發熱色黃者小便不利也

陽明病不吐下而煩者可與承氣湯
陽明病其脉遲雖汗出不惡寒其體必重短氣腹滿而喘有
潮熱如此者其外爲解可攻其裏手足濈然汗出此爲已堅
承氣湯主之
若汗出多而微惡寒外爲未解其熱不潮勿與承氣湯若腹
大滿而不大便者可與小承氣湯微和其胃氣勿令至大下
陽明病潮熱微堅可與承氣湯不堅勿與之
若不大便六七日恐有燥屎欲知之法可與小承氣湯若腹
中轉失氣者此爲有燥屎乃可攻之若不轉失氣者此但頭
堅後溏不可攻之攻之必腹脹滿不能食欲飲水者即噦其
後發熱者必復堅以小承氣湯和之若不轉失氣者慎不可
攻之
夫實則譫語虛則鄭聲鄭聲者重語是也直視譫語喘滿者

死下利者亦死
陽明病其人多汗津液外出胃中燥大便必堅堅者則譫語
承氣湯主之
陽明病譫語妄言發潮熱其脉滑疾如此者承氣湯主之因
與承氣湯壹升腹中轉氣者復與壹升如不轉氣者勿與之
明日又不大便脉反微澀此為裏虛為難治不得復與承氣
湯
陽明病譫語有潮熱反不能食者必有燥屎五六枚若能食
者但堅耳承氣湯主之
陽明病下血而譫語者此為熱入血室但頭汗出者當刺期
門隨其實而寫之濈然汗出者則愈
汗出而譫語者有燥屎在胃中此風也過經乃可下之下之
若早語言必亂以表虛裏實下之則愈宜承氣湯

傷寒四五日脉沉而喘滿沉為在裏而反發其汗津液越出
大便為難表虛裏實久則譫語
陽明病下之心中懊憹而煩胃中有燥屎者可攻其人腹微
滿頭堅後溏者不可下之有燥屎者宜承氣湯
病者五六日不大便繞臍痛躁煩發作有時此為有燥屎故
使不大便也
病者煩熱汗出即解復如瘧狀日晡所發者屬陽明脉實者
當下之脉浮虛者當發其汗下之宜承氣湯發汗宜桂枝湯
方見桂枝湯門
大下後六七日不大便煩不解腹滿痛者此有燥屎所以然
者本有宿食故也宜承氣湯
病者小便不利大便乍難乍易時有微熱怫鬱不能卧有燥
屎故也宜承氣湯

得病二三日脉弱無太陽柴胡證而煩心下堅至四日雖能
食以小承氣湯少與微和之令小安至六日與承氣湯壹升
不大便六七日小便少者雖不大便但頭堅後溏未定成其
堅攻之必溏當須小便利定堅乃可攻之宜承氣湯
傷寒七八日目中不了了睛不和無表裏證大便難微熱者
此為實急下之宜承氣湯
陽明病發熱汗多者急下之宜承氣湯
發汗不解腹滿痛者急下之宜承氣湯
腹滿不減減不足言當下之宜承氣湯
陽明與少陽合病而利脉不負者為順滑而數者有宿食宜
承氣湯 方並見承氣湯門
陽明病脉浮緊咽乾口苦腹滿而喘發熱汗出不惡寒反偏
惡熱其身體重發汗即躁心中憒憒而反譫語加溫針必怵

惕又煩躁不得眠下之胃中空虛客氣動膈心中懊憹舌上
胎者梔子湯主之
陽明病下之其外有熱手足溫不結胸心中懊憹若飢不能
食但頭汗出梔子湯主之方
梔子 拾肆枚擘　香豉 肆合綿裹
右貳味以水肆升先煮梔子取貳升半內豉煮取壹升半
去滓分再服溫進壹服得快吐止後服
三陽合病腹滿身重難以轉側口不仁言語向經譫語遺尿
發汗則譫語下之則額上生汗手足厥冷白虎湯主之 按諸本皆
云向經不敢刊改
若渴欲飲水口乾舌燥者白虎湯主之 方見雜療中
若脉浮發熱渴欲飲水小便不利豬苓湯主之方
豬苓 去黑皮　茯苓　澤瀉　阿膠　滑石 碎各壹兩

右伍味以水肆升先煑肆味取貳升去滓内膠烊消温服
柒合日叁服
陽明病汗出多而渴者不可與猪苓湯以汗多胃中燥猪苓
湯復利其小便故也
胃中虛冷其人不能食者飲水即噦
脉浮發熱口乾鼻燥能食者即衄
若脉浮遲表熱裏寒下利清穀四逆湯主之方
甘草貳兩炙 乾薑壹兩半 附子壹枚生去皮破捌片
右叁味以水叁升煑取壹升貳合去滓分温再服強人可
大附子壹枚乾薑叁兩
陽明病發潮熱大便溏小便自可而胸脇滿不去小柴胡湯
主之
陽明病脇下堅滿不大便而嘔舌上胎者可以小柴胡湯上

焦得通津液得下胃氣因和身濈然汗出而解
陽明中風脉弦浮大而短氣腹都滿脇下及心痛久按之氣
不通鼻乾不得汗其人嗜卧一身及目悉黄小便難有潮熱
時時噦耳前後腫刺之小差外不解病過十日脉續浮與小
柴胡湯但浮無餘證與麻黄湯不溺腹滿加噦不治 方見柴胡湯門
陽明病其脉遲汗出多而微惡寒表為未解可發汗宜桂枝
湯
陽明病脉浮無汗其人必喘發汗即愈宜麻黄湯 方並見上
陽明病汗出若發其汗小便自利此為内竭雖堅不可攻當
須自欲大便宜蜜煎導而通之若土瓜根猪膽汁皆可以導
方
蜜柒合
右壹味内銅器中微火煎之稍凝如飴狀攪之勿令焦著
欲可丸捻如指許長貳寸當熱時急作令頭鋭以内穀道

中以手急抱欲大便時乃去之
又方
大猪膽壹枚瀉汁和少法醋以灌穀道中如一食頃當大
便出宿食惡物已試甚良
陽明病發熱而汗出此為熱越不能發黄也但頭汗出其身
無有齊頸而還小便不利渴引水漿此為瘀熱在裏身必發
黄茵蔯湯主之
傷寒七八日身黄如橘小便不利其腹微滿茵蔯湯主之 方
茵蔯陸兩 梔子拾肆枚擘 大黄貳兩
右叁味以水壹斗貳升先煑茵蔯減陸升内貳味煑取三
升去滓分温叁服小便當利溺如皂莢汁狀色正赤壹宿
黄從小便去
陽明證其人喜忘必有畜血所以然者本有久瘀血故令喜

忘雖堅大便必黑抵當湯主之
病者無表裏證發熱七八日雖脉浮數可下之假令下已脉
數不解而合熱消穀喜飢至六七日不大便者有瘀血抵當
湯主之若數不解而下不止必挾熱便膿血 方見雜療中
食穀而嘔者屬陽明茱萸湯主之 方
吴茱萸壹升 人參叁兩 生薑陸兩切 大棗拾貳枚擘
右肆味以水柒升煑取貳升去滓温服柒合日叁服得湯
反劇者屬上焦也
陽明病寸口緩關上小浮尺中弱其人發熱而汗出復惡寒
不嘔但心下痞此為醫下之也若不下其人復不惡寒而渴
者為轉屬陽明小便數者大便即堅不更衣十日無所苦也
渴欲飲水者但與之當以法救渴宜五苓散 方見雜療門
脉陽微而汗出少者為自和汗出多者為大過大過者陽絶

於內亡津液大便因鞕一

脉浮而芤浮為陽芤為陰浮芤相搏胃氣則生熱其陽則絕

趺陽脉浮而濇浮則胃氣強濇則小便數浮濇相搏大便即堅其脾為約麻子仁丸主之方

麻子仁貳升 芍藥 枳實各炙半斤 大黃壹斤 厚朴炙壹尺

杏仁壹升去皮尖兩仁者熬別作脂

右陸味蜜和丸如梧桐子大飲服拾圓日叁服漸加以知為度

傷寒發其汗則身目為黃所以然者寒濕相搏在裏不解故也

傷寒其人發黃梔子蘗皮湯主之方

梔子拾伍枚擘 甘草壹兩 黃蘗拾伍分

右叁味以水肆升煮取貳升去滓分溫再服

傷寒瘀熱在裏身體必黃麻黃連翹赤小豆湯主之方

麻黃貳兩去節 連翹貳兩 杏仁叁拾枚去皮尖 赤小豆壹升

大棗拾貳枚擘 生梓白皮切壹升 甘草二兩炙

一方生薑貳兩

右捌味以水壹斗煮麻黃壹貳沸去上沫內諸藥煮取叁升去滓溫服壹升

少陽病狀第九 玖證

少陽之為病口苦咽乾目眩也

少陽中風兩耳無所聞目赤胸中滿而煩不可吐下吐下則悸而驚

傷寒病脉弦細頭痛而發熱此為屬少陽少陽不可發汗發汗則譫語為屬胃胃和即愈不和煩而悸

太陽病不解轉入少陽脅下堅滿乾嘔不能食飲往來寒熱而未吐下其脉沈緊者可與小柴胡湯若已吐下發汗溫鍼譫語柴胡湯證罷此為壞病知犯何逆以法治之

三陽脉浮大上關上但欲眠目合則汗

傷寒六七日無大熱其人躁煩此為陽去入陰故也

傷寒三日三陽為盡三陰當受其邪其人反能食而不嘔此為三陰不受其邪

傷寒三日少陽脉小欲已

少陽病欲解時從寅盡辰

千金翼方卷第九

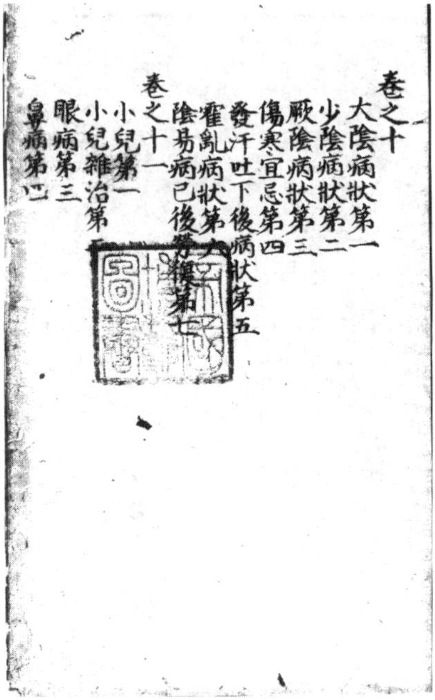

卷之十
大陰病狀第一
少陰病狀第二
厥陰病狀第三
傷寒宜忌第四
發汗吐下後病狀第五
霍亂病狀第六
陰易病已後勞復第七
卷之十一
小兒第一
小兒雜治第二
眼病第三
鼻病第四

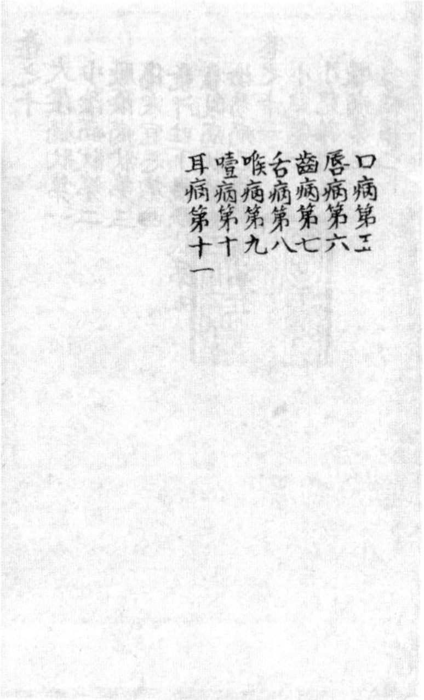

口病第五
唇病第六
齒病第七
舌病第八
喉病第九
噎病第十
耳病第十一

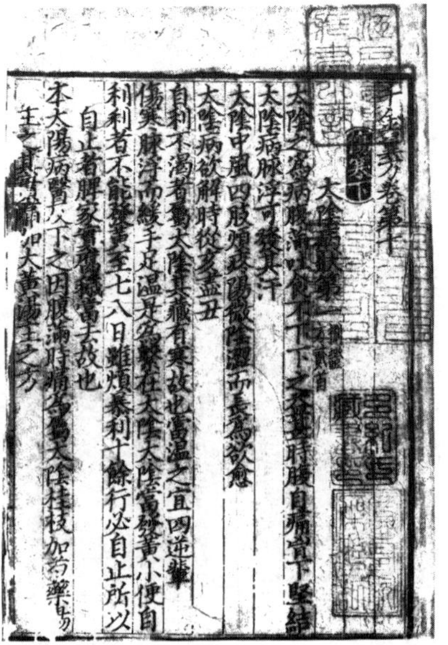

千金翼方卷第十 傷寒下
大陰病狀第一
太陰之爲病腹滿而吐食不下下之益甚時腹自痛胸下堅結
太陰病脈浮可發其汗
太陰中風四肢煩疼陽微陰濇而長爲欲愈
太陰病欲解時從亥盡丑
自利不渴者屬太陰其藏有寒故也當溫之宜四逆輩
傷寒脈浮而緩手足溫是爲繫在太陰太陰當發黃小便自
利利者不能發黃至七八日雖煩暴利十餘行必自止所以
自止者脾家實腐穢當去故也
本太陽病醫反下之因腹滿時痛爲屬太陰桂枝加芍藥湯
主之大實痛加大黃湯主之方

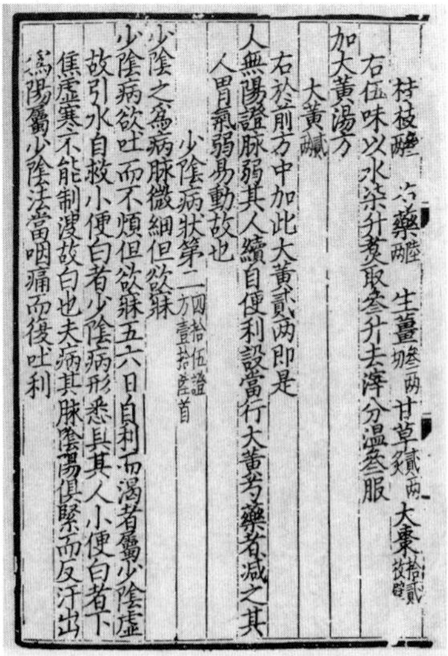

桂枝叁兩 芍藥陸兩 生薑叁兩切 甘草貳兩炙 大棗拾貳枚擘
右伍味以水柒升煮取叁升去滓分溫叁服
加大黃湯方
大黃貳兩
右於前方中加此大黃貳兩即是
人無陽證脈弱其人續自便利設當行大黃芍藥者減之其
人胃氣弱易動故也
少陰病狀第二 四拾伍證 方壹拾壹首
少陰之爲病脈微細但欲寐
少陰病欲吐而不煩但欲寐五六日自利而渴者屬少陰虛
故引水自救小便白者少陰病形悉具其人小便白者下
焦虛寒不能制溲故白也夫病其脈陰陽俱緊而反汗出
爲陽屬少陰法當咽痛而復吐利

少陰病欬而下利譫語是爲被火氣刼故也小便必難爲強
責少陰汗也
少陰病脉細沈數病在裏不可發其汗
少陰病脉微不可發其汗無陽故也陽已虛尺中弱濇者復
不可下之
少陰病脉緊者至七八日下利其脉暴微手足反温其脉緊
反去此爲欲解雖煩下利必自愈
少陰病下利若利止惡寒而踡手足温者可治
少陰病惡寒而踡時自煩欲去其衣被不可治
少陰中風其脉陽微陰浮爲欲愈
少陰病欲解時從子盡寅
少陰病八九日而一身手足盡熱熱在膀胱必便血
少陰病其人吐利手足不逆反發熱不死脉不足者灸其少
陰七壯
少陰病但厥無汗強發之必動血未知從何道出或從口鼻
目出是爲下厥上竭爲難治
少陰病惡寒踡而利手足逆者不治
少陰病下利止而眩時時自冒者死
少陰病其人吐利躁逆者死
少陰病四逆惡寒而踡其脉不至其人不煩而躁者死
少陰病六七日其息高者死
少陰病脉微細沈但欲卧汗出不煩自欲吐至五六日自利
復煩燥不得卧寐者死
少陰病始得之反發熱脉反沈者麻黄細辛附子湯主之方
麻黄貳兩去節 細辛貳兩 附子壹枚炮去皮破八片
右叁味以水貳斗先煮麻黄減壹升去上沫内諸藥煮取
三升去滓温服一升
少陰病得之二三日麻黄附子甘草湯微發汗以二三日無
證故微發汗方
麻黄二兩去節 附子一枚炮去皮破八片 甘草二兩炙
右三味以水七升先煮麻黄一二沸去上沫内諸藥煮取
二升半去滓温服八合
少陰病得之二三日以上心中煩不得卧者黄連阿膠湯主
之方
黄連四兩 黄芩一兩 芍藥二兩 雞子黄二枚
阿膠三挺
右五味以水六升先煮三味取二升去滓内膠烊盡内雞
子黄攪令相得温服七合日三服
少陰病得之一二日口中和其背惡寒者當灸之附子湯主之
少陰病身體痛手足寒骨節痛脉沈者附子湯主之方
附子二枚炮去皮破八片 茯苓三兩 人參二兩
白术四兩 芍藥三兩
右五味以水八升煮取三升去滓分温三服
少陰病下利便膿血桃花湯主之
少陰病二三日至四五日腹痛小便下利不止而便膿血者
以桃花湯主之方
赤石脂一斤一半完一半末 乾薑一兩 粳米一升
右三味以水七升煮米熟湯成去滓温取七合内赤石脂
末一方寸匕一服止餘勿服
少陰病下利便膿血者可刺
少陰病吐利手足逆煩躁欲死者茱萸湯主之方見陽明門
少陰病下利咽痛胷滿心煩猪膚湯主之方

猪膚一斤
右壹味以水壹斗煑取五升去滓内白蜜壹升白粉五合
熬香和令相得温分六服
少陰病二三日咽痛者可與甘草湯不差可與桔梗湯方
甘草
右壹味以水叁升煑取壹升半去滓温服七合日再服
桔梗湯方
桔梗一大枚 甘草二两
右貳味以水叁升煑取壹升去滓分温再服
少陰病咽中傷生瘡不能語言聲不出苦酒湯主之方
雞子壹枚去黄内好上苦酒於殼中 半夏洗破如棗核十四枚
右弍味内半夏著苦酒中以雞子殼置刀環中安火上令
沸去滓少少含嚥之不差更作三劑愈

少陰病咽中痛半夏散及湯方
半夏洗 桂枝 甘草炙
右叁味等分各異擣合治之白飲和服方寸匕日三服若
不能散服者以水一升煎七沸内散兩方寸匕更煑三沸
下火令小冷少少含嚥之半夏有毒不當散服
少陰病下利白通湯主之方
附子壹枚生去皮破八片 乾薑一两 葱白四莖
右叁味以水叁升煑取壹升去滓分温再服
少陰病下利脉微服白通湯利不止厥逆無脉乾煩者白通
加猪膽汁湯主之方 猪膽汁一合 人尿五合
右弍味内前湯中和令相得温分再服若無膽亦可用服
湯脉暴出者死微續者生
少陰病二三日不已至四五日腹痛小便不利四肢沉重疼

痛而利此爲有水氣其人或欬或小便不利或下利或嘔玄
武湯主之方
茯苓 芍藥 生姜各叁两切 白术貳两 附子壹枚炮去皮破捌片
右伍味以水捌升煑取叁升去滓温服柒合欬者加伍味
子半升細辛壹两乾薑壹两小便自利者去茯苓下利者
去芍藥加乾薑貳两嘔者去附子加生薑足前爲半斤利
不止便膿血者宜桃花湯
少陰病下利清穀裏寒外熱手足厥逆脉微欲絶身反惡寒
其人面赤或腹痛或乾嘔或咽痛或利止而脉不出通脉四
逆湯主之方
甘草貳两炙 附子大者壹枚生去皮破捌片 乾薑叁两強人可肆两
右叁味以水叁升煑取壹升貳合去滓分温再服其脉即
出者愈面赤者加葱白九莖腹痛者去葱加芍藥貳两嘔

者加生薑貳两咽痛者去芍藥加桔梗壹两利止脉不出
者去桔梗加人參貳两病皆與方相應者乃加減服之
少陰病四逆其人或欬或悸或小便不利或腹中痛或洩利
下重四逆散主之方
甘草炙 枳實炙 柴胡 芍藥各拾分
右肆味擣爲散白飲和服方寸匕日叁服欬者加五味子
乾薑各伍分兼主利悸者加桂伍分小便不利者加茯苓
伍分腹中痛者加附子壹枚炮洩利下重者先以水伍升
煑薤白三升取三升去滓以散三方寸匕内湯中煑取一
升半分温再服
少陰病不利六七日欬而嘔渴心煩不得眠猪苓湯主之方見陽明門
少陰病得之二三日口燥咽乾急下之宜承氣湯

少陰病下利清水色青者心下必痛口乾燥者可下之宜承氣
湯一云大柴胡
少陰病六七日腹滿不大便者急下之宜承氣湯方見承氣中
少陰病其脉沉者當温之宜四逆湯
少陰病其人飲食入則吐心中温温欲吐復不能吐始得之
手足寒脉弦遲此胷中實不可下也當遂吐之若膈上有
寒飲乾嘔者不可吐當温之宜四逆湯方見陽明門
少陰病下利脉微濇者即嘔汗者必數更衣反少當温其上
灸之一云灸厥陰伍拾壯

厥陰病狀第三凡拾陸證方柒首

厥陰之為病消渴氣上撞心中疼熱飢而不欲食甚者則欲
吐蚘下之不肯止
厥陰中風其脉微浮為欲愈不浮為未愈

厥陰病欲解時從丑盡卯
厥陰病渴欲飲水者與水飲之即愈
諸四逆厥者不可下之虛家亦然
傷寒先厥後發熱而利者必止見厥復利
傷寒始發熱六日厥反九日而下利厥利當不能食今反能
食恐為除中食之黍餅不發熱者知胃氣尚在必愈恐暴
熱來出而復去也後日脉之其熱續在期之旦日夜半愈
所以然者本發熱六日厥反九日復發熱三日并前六日
亦為九日與厥相應故期之旦日夜半愈後三日脉之數
其熱不罷此為熱氣有餘必發癰膿
傷寒脉遲六七日而反與黃芩湯徹其熱脉遲為寒與黃芩
湯復除其熱腹中冷當不能食今反能食此為除中必死
傷寒先厥發熱下利必自止而反汗出咽中強痛其喉為痺

發熱無汗而利必自止便膿血便膿血者其喉不痺
傷寒一二日至四五日厥者必發熱前厥者後必熱厥深熱
亦深厥微熱亦微厥應下之而發其汗者口傷爛赤
凡厥者陰陽氣不相順接便為厥厥者手足逆者是
傷寒病厥五日熱亦五日設六日當復厥不厥者自愈厥不
過五日以熱五日故知自愈
傷寒脉微而厥至七八日膚冷其人躁無安時此為藏寒蚘
上入其膈蚘厥者其人當吐蚘令病者靜而復時煩此為
藏寒蚘上入其膈故煩須臾復止得食而嘔又煩者蚘聞
食臭必出其人常自吐蚘蚘厥者烏梅丸主之方又主久痢
烏梅叁百枚 細辛陸兩 乾薑拾兩 黃連拾陸兩 當歸肆兩
蜀椒肆兩汗 附子陸兩炮 桂枝陸兩 人參陸兩 黃蘗陸兩
右壹拾味異擣合治之以苦酒漬烏梅一宿去核蒸之伍

斗米下擣成泥和諸藥令相得臼中與蜜杵千下丸如梧
桐子大先食飲服拾丸日叁服少少加至貳拾丸禁生冷
滑物臭食等
傷寒熱少微厥稍頭寒嘿嘿不欲食煩躁數日小便利色白
者熱除也得食其病為愈若厥而嘔胷脅煩滿其後必便
血稍頭一作指頭
病者手足厥冷言我不結胷少腹滿按之痛此冷結在膀胱
關元也
傷寒發熱四日厥反三日復發熱四日厥少熱多其病當愈
四日至六七日不除必便膿血
傷寒厥四日熱反三日復厥五日其病為進寒多熱少陽氣
退故為進
傷寒六七日其脉數手足厥煩躁陰厥不還者死

傷寒下利厥逆躁不能卧者死
傷寒發熱下利至厥不止者死
傷寒六七日不利便發熱而利其人汗出不止者死有陰無
陽故也
傷寒五六日不結胷腹濡脉虚復厥者不可下之下之亡血死
傷寒發熱而厥七日下利者為難治
傷寒脉促手足厥逆者可灸之
傷寒脉滑而厥者其表有熱白虎湯主之 表熱見裏表方 見雜療中
手足厥寒脉為之細絶當歸四逆湯主之 方
當歸參兩 桂心參兩 細辛參兩 芍藥參兩 甘草貳兩炙
通草貳兩 大棗貳拾伍枚擘
右柒味以水捌升煑取參升去滓温服壹升日參服
其人有寒當歸四逆加吳茱萸生薑湯主之 方

吳茱萸貳兩 生薑捌兩切
右前方中加此貳味以水肆升清酒肆升和煑取參升去
滓分温肆服
大汗出熱不去拘急四肢疼若下利厥而惡寒四逆湯主之
大汗出若火下利而厥四逆湯主之 方並見陽明門
病者手足逆冷脉乍緊者邪結在胷中心下滿而煩飢不能
食病在胷中當吐之宜瓜蔕散 方見療痞中
傷寒厥而心下悸先治其水當與茯苓甘草湯却治其厥不
爾其水入胃必利茯苓甘草湯主之 方
茯苓貳兩 甘草壹兩炙 桂枝貳兩 生薑參兩
右肆味以水肆升煑取貳升去滓分温參服
傷寒六七日其人大下後脉沈遲手足厥逆下部脉不至咽
喉不利唾膿血洩利不止為難治麻黄升麻湯主之 方

麻黄貳兩半去節 知母拾捌銖 萎蕤拾捌銖 黄芩拾捌銖
升麻壹兩陸銖 當歸壹兩陸銖 芍藥 桂枝 石膏碎綿裹
乾薑 白术 茯苓 麥門冬去心 甘草炙各陸銖
右壹拾肆味以水壹斗先煑麻黄貳沸去上沫内諸藥煑
取參升去滓分温參服壹炊間當汗出愈
傷寒四五日腹中痛若轉氣下趣少腹為欲自利
傷寒本自寒下醫復吐之而寒格更逆吐食入即出乾薑黄
芩黄連人參湯主之 方
乾薑 黄芩 黄連 人參各參兩
右肆味以水陸升煑取貳升去滓分温再服
下利有微熱其人渴脉弱者自愈
下利脉數有微熱汗出者自愈設脉復緊為未解
下利手足厥無脉灸之不温反微喘者死少陰負趺陽者為

順
下利脉反浮數尺中自濇其人必清膿血
下利清穀不可攻其表汗出必脹滿
下利脉沈弦者下重其脉大者為未止脉微弱數者為欲自
止雖發熱不死
下利脉沈而遲其人面少赤身有微熱下利清穀必鬱冒汗
出而解其人微厥所以然者其面戴陽下虚故也
下利脉反數而渴者今自愈設不差必清膿血有熱故也
下利後脉絶手足厥晬時脉還手足温者生不還者死
傷寒下利日十餘行其人脉反實者死
下利清穀裏寒外熱汗出而厥通脉四逆湯主之 方見少陰門
熱利下重白頭翁湯主之
下利欲飲水者為有熱白頭翁湯主之 方

白頭翁(貳兩) 黃蘗(參兩) 黃連(參兩) 秦皮(參兩)
右肆味以水柒升煮取貳升去滓溫服壹升不差更服
下利腹滿身體疼痛先溫其裏乃攻其表溫裏宜四逆湯攻
表宜桂枝湯(方並見上)
下利而譫語爲有燥屎小承氣湯主之(方見承氣湯)
下利後更煩按其心下濡者爲虛煩也梔子湯主之(方見陽明門)
嘔家有癰膿不可治嘔膿盡自愈
嘔而發熱小柴胡湯主之(方見柴胡門)
嘔而脉弱小便復利身有微熱見厥難治四逆湯主之(方見上)
乾嘔吐涎沫而復頭痛吳茱萸湯主之(方見陽明門)
傷寒大吐下之極虛復極汗者其人外氣怫鬱復與其水以
發其汗因得噦所以然者胃中寒冷故也
傷寒噦而滿者視其前後知何部不利利之則愈

傷寒宜忌第四(十五章)

忌發汗第一

少陰病脉細沉數病在裏忌發其汗
脉浮而緊法當身體疼痛當以汗解假令尺中脉遲者忌發
其汗何以知然此爲榮氣不足血氣微少故也
少陰病脉微忌發其汗無陽故也
咽中閉塞忌發其汗發其汗即吐血氣微絕逆冷
厥忌發其汗發其汗即聲亂咽嘶舌萎
太陽病發熱惡寒寒多熱少脉微弱則無陽也忌復發其汗
咽喉乾燥者忌發其汗
亡血家忌攻其表汗出則寒慄而振
衄家忌攻其表汗出必額上促急
汗家重發其汗必恍惚心亂小便已陰疼

淋家忌發其汗發其汗必便血
瘡家雖身疼痛忌攻其表汗出則痓
冬時忌發其汗發其汗必吐利口中爛生瘡欬而小便利若
失小便忌攻其表汗則厥逆冷
太陽病發其汗因致痓

宜發汗第二

大法春夏宜發汗
凡發汗欲令手足皆周漐漐一時間益佳不欲流離若病不
解當重發汗汗多則亡陽陽虛不得重發汗也
凡服湯藥發汗中病便止不必盡劑也
凡云宜發汗而無湯者丸散亦可用然不如湯藥也
凡脉浮者病在外宜發其汗
太陽病脉浮而數者宜發其汗

陽明病脉浮虛者宜發其汗
陽明病其脉遲汗出多而微惡寒者表爲未解宜發其汗
太陰病脉浮宜發其汗
太陽中風陽浮而陰濡弱浮者熱自發濡弱者汗自出濇濇
惡寒淅淅惡風翕翕發熱鼻鳴乾嘔桂枝湯主之
太陽頭痛發熱身體疼腰痛骨節疼痛惡風無汗而喘麻黃
湯主之
太陽中風脉浮緊發熱惡寒身體疼痛不汗出而煩躁大青
龍湯主之
少陰病得之二三日麻黃附子甘草湯微發汗

忌吐第三

太陽病惡寒而發熱今自汗出反不惡寒而發熱關上脉細
而數此吐之過也

少陰病其人飲食入則吐心中溫溫欲吐復不能吐始得之
手足寒脉弦遲若膈上有寒飲乾嘔忌吐當溫之
諸四逆病厥忌吐虛家亦然

宜吐第四

大法春宜吐
凡服吐湯中病便止不必盡劑也
病如桂枝證其頭項不強痛寸口脉浮胸中痞堅上撞咽喉
不得息此為有寒宜吐之
病胸上諸實胸中鬱鬱而痛不能食欲使人按之而反有涎
唾下利日十餘行其脉反遲寸口微滑此宜吐之利即止
少陰病其人飲食入則吐心中溫溫欲吐復不能吐宜吐之
病者手足逆冷脉乍緊邪結在胸中心下滿而煩飢不能食
病在胸中宜吐之
宿食在上脘宜吐之

忌下第五

咽中閉塞忌下下之則上輕下重水漿不下諸外實忌下下
之皆發微熱亡脉則厥
諸虛忌下下之則渴引水易愈惡水者劇
脉數者忌下下之必煩利不止
尺中弱澀者復忌下
脉浮大醫反下之此為大逆
太陽證不罷忌下下之為逆
結胸證其脉浮大忌下下之即死
太陽與陽明合病喘而胸滿者忌下
太陽與少陽合病心下痞堅頸項強而眩忌下
凡四逆病厥者忌下虛家亦然
病欲吐者忌下
病有外證未解忌下下之為逆
少陰病食入即吐心中溫溫欲吐復不能吐始得之手足寒
脉弦遲此胸中實忌下
傷寒五六日不結胸腹濡脉虛復厥者忌下下之亡血則死

宜下第六

大法秋宜下
凡宜下以湯勝丸散
凡服湯下中病則止不必盡三服
陽明病發熱汗多者急下之
少陰病得之二三日口燥咽乾者急下之
少陰病五六日腹滿不大便者急下之
少陰病下利清水色青者心下必痛口乾者宜下之
下利三部脉皆浮按其心下堅者宜下之
下利脉遲而滑者實也利未欲止宜下之
陽明與少陽合病利而脉不負者為順脉數而滑者有宿食
宜下之
問曰人病有宿食何以別之答曰寸口脉浮大按之反澀尺
中亦微而澀故知有宿食宜下之
下利不欲食者有宿食宜下之
下利差至其時復發此為病不盡宜復下之
凡病腹中滿痛者為寒宜下之
腹滿不減減不足言宜下之
傷寒六七日目中不了了睛不和無表裏證大便難微熱者
此為實急下之
脉雙弦而遲心下堅脉大而緊者陽中有陰宜下之

傷寒有熱而少腹滿應小便不利今反利此為血宜下之
病者煩熱汗出即解復如瘧日晡所發者屬陽明脉實者當
下之

宜溫第七

大法冬宜服溫熱藥
師曰病發熱頭痛脉反沉若不差身體更疼痛當救其裏宜
溫藥四逆湯
下利腹脹滿身體疼痛先溫其裏宜四逆湯
下利脉遲緊為痛未欲止宜溫之
下利脉浮大者此為虛以強下之故也宜溫之與水必噦
少陰病下利脉微澀嘔者宜溫之
自利不渴者屬太陰其藏有寒故也宜溫之
少陰病其人飲食入則吐心中溫溫欲吐復不能吐始得之
手足寒脉弦遲若膈上有寒飲乾嘔宜溫之
少陰病脉沉者宜急溫之
下利欲食者宜就溫之

忌火第八

傷寒加火針必驚
傷寒脉浮而醫以火迫劫之亡陽必驚狂卧起不安
傷寒其脉不弦緊而弱弱者必渴被火必譫語
太陽病以火熏之不得汗其人必躁到經不解必清血
陽明病被火額上微汗出而小便不利必發黃
少陰病欬而下利譫語是為被火氣劫故也小便必難為強
責少陰汗也

宜火第九

凡下利穀道中痛宜炙枳實若熬鹽等熨之

忌灸第十

微數之脉慎不可灸因火為邪則為煩逆
脉浮當以汗解而反灸之邪無從去因火而盛病從腰以下
必重而痺此為火逆
脉浮熱甚而反灸之此為實實以虛治因火而動咽燥必唾
血

宜灸第十一

少陰病一二日口中和其背惡寒宜灸之
少陰病吐利手足逆而脉不足灸其少陰七壯
少陰病下利脉微澀者即嘔汗者必數更衣反少者宜溫其
上灸之一云灸厥陰伍拾壯
下利手足厥無脉灸之主厥厥陰是也灸不溫反微喘者死
傷寒六七日其脉微手足厥煩躁灸其厥陰厥不還者死
脉促手足厥者宜灸之

忌刺第十二

大怒無刺　新內無刺　大勞無刺　大醉無刺
大飽無刺　大渴無刺　大驚無刺　無刺熇熇之
熱無刺漉漉之汗無刺渾渾之脉無刺病與脉相逆者
上工刺未生其次刺未盛其次刺其衰工逆此者是謂伐形

宜刺第十三

太陽病頭痛至七日自當愈其經竟故也若欲作再經者宜
刺足陽明使經不傳則愈
太陽病初服桂枝湯而反煩不解宜先刺風池風府乃却與
桂枝湯則愈
傷寒腹滿而譫語寸口脉浮而緊者此為肝乘脾名曰縱宜
刺期門

傷寒發熱嗇嗇惡寒其人大渴欲飲截漿者其腹必滿而自
汗出小便利其病欲解此爲肝乘肺名曰横宜刺期門
陽明病下血而讝語此爲熱入血室但頭汗出者刺期門隨
其實而寫之
太陽與少陽合病心下痞堅頸項強而眩宜刺大椎肺俞肝
俞勿下之
婦人傷寒懷身腹滿不得小便加從署以下重如有水氣狀
懷身七月太陰當養不養此心氣實宜刺寫勞宮及關元
小便利則愈
傷寒喉痺刺手少陰穴在腕當小指後動脉是也針入叁分
補之
少陰病下利便膿血者宜刺
忌水第十四

發汗後飲水多者必喘以水灌之亦喘
下利其脉浮大此爲虚以強下之故也設脉浮革因爾腸鳴
當温之與水必噦
太陽病小便利者爲水多心下必悸
宜水第十五
太陽病發汗後若大汗出胃中乾燥煩不得眠其人欲飲水
當稍飲之令胃氣和則愈
厥陰病渴欲飲水與水飲之即愈
嘔而吐膈上者必思煑餅急思水者與五苓散飲之水亦得也
發汗吐下後病狀第五（叁拾證 方壹拾伍首）
發汗後水藥不得入口爲逆
未持脉時病人手叉自冒心師因教試令欬而不即欬者此
必兩耳無所聞也所以然者重發其汗虚故也

發汗後身熱又重發其汗胃中虚冷必反吐逆
大下後發汗其人小便不利此亡津液勿治其小便利必自
愈
病人脉數數爲熱當消穀引食而反吐者以醫發其汗陽氣
微膈氣虚脉則爲數數爲客熱不能消穀胃中虚冷故吐
也
病者有寒復發其汗胃中冷必吐蚘（一云吐逆）
發汗後重發其汗亡陽讝語其脉反和者不死服桂枝湯汗
出大煩渴不解若脉洪大與白虎湯（方見雜療中）
發汗後身體疼痛其脉沈遲桂枝加芍藥生薑人參湯主之 方
桂枝（叁兩） 芍藥（四兩） 生薑（四兩切） 甘草（貳兩炙） 大棗（拾貳枚擘）
人參（叁兩）
右陸味以水壹斗貳升煑取叁升去滓温服壹升本云桂

枝湯今加芍藥生薑人參
太陽病發其汗而不解其人發熱心下悸頭眩身瞤而動振
振欲擗地者玄武湯主之（方見少陰門）
發汗後其人臍下悸欲作奔豚茯苓桂枝甘草大棗湯主之
方
茯苓（半斤） 桂枝（肆兩） 甘草（壹兩炙） 大棗（拾伍枚擘）
右肆味以水壹斗先煑茯苓減貳升内諸藥煑取叁升去
滓温服壹升日叁服
發汗過多以後其人叉手自冒心心下悸而欲得按之桂枝
甘草湯主之 方
桂枝（四兩） 甘草（貳兩炙）
右貳味以水叁升煑取壹升去滓頓服即愈
發汗脉浮而數復煩者五苓散主之（方見結胸門中）
發汗後腹脹滿厚朴生薑半夏甘草人參湯主之 方

厚朴（半斤炙） 生薑（半斤切） 半夏（半升洗） 甘草（貳兩炙） 人參（壹兩）
右伍味以水壹斗煑取叁升去滓溫服壹升日叁服
發其汗不解而反惡寒者虛故也芍藥甘草附子湯主之方
芍藥 甘草（各叁兩炙） 附子（壹枚炮去皮破六片）
右叁味以水叁升煑取壹升貳合去滓分溫叁服
不惡寒但熱者實也當和其胃氣宜小承氣湯（方見承氣湯門一云調胃承氣湯）
傷寒脉浮自汗出小便數頻復微惡寒而脚攣急反與桂枝欲攻其表得之便厥咽乾煩躁吐逆當作甘草乾薑湯以復其陽厥愈足溫更作芍藥甘草湯與之其脚即伸而胃氣不和可與承氣湯重發汗復加燒針者四逆湯主之甘草乾薑湯方
甘草（四兩炙） 乾薑（貳兩）
右貳味以水叁升煑取壹升去滓分溫再服
芍藥甘草湯方
芍藥 甘草（各四兩炙）
右貳味以水叁升煑取壹升半去滓分溫再服
凡病若發汗若吐若下若亡血無津液而陰陽自和者必自愈
傷寒吐下發汗後心下逆滿氣上撞胷起即頭眩其脉沉緊發汗即動經身爲振搖茯苓桂枝白术甘草湯主之方
茯苓（四兩） 桂枝（叁兩） 白术 甘草（各貳兩炙）
右肆味以水陸升煑取叁升去滓分溫叁服
發汗吐下以後不解煩躁茯苓四逆湯主之方
茯苓（四兩） 人參（壹兩） 甘草（貳兩炙） 乾薑（壹兩半） 附子（壹枚生去皮破八片）
右伍味以水伍升煑取貳升去滓溫服柒合日叁服

發汗吐下後虛煩不得眠劇者反覆顛倒心中懊憹梔子湯主之若少氣梔子甘草湯主之若嘔者梔子生薑湯主之
（梔子湯方見陽明門）
梔子甘草湯方
於梔子湯中加甘草貳兩即是
梔子生薑湯方
於梔子湯中加生薑伍兩即是
傷寒下後煩而腹滿卧起不安梔子厚朴湯主之方
梔子（拾肆枚擘） 厚朴（肆兩炙） 枳實（肆枚炙）
右叁味以水叁升半煑取壹升半去滓分貳服溫進壹服快吐止後服
下以後發其汗必振寒又其脉微細所以然者內外俱虛故也
發汗若下之煩熱胸中窒者屬梔子湯證
下以後復發其汗者則晝日煩躁不眠夜而安靜不嘔不渴而無表證其脉沉微身無大熱屬附子乾薑湯方
附子（壹枚生去皮破捌片） 乾薑（壹兩）
右貳味以水叁升煑取壹升去滓頓服即安
太陽病先下而不愈因復發其汗表裏俱虛其人因冒冒家當汗出自愈所以然者汗出表和故也表和故下之
傷寒醫以丸藥大下後身熱不去微煩梔子乾薑湯主之方
梔子（拾肆枚擘） 乾薑（貳兩）
右貳味以水叁升半煑取壹升半去滓分貳服溫進壹服得快吐止後服
脉浮數法當汗出而愈而下之則身體重心悸者不可發其汗當自汗出而解所以然者尺中脉微此裏虛須表裏實津液自和自汗出愈

發汗以後不可行桂枝湯汗出而喘無大熱與麻黃杏子石
膏甘草湯
麻黃（肆兩去節） 杏仁（伍拾枚去皮尖） 石膏（半斤碎） 甘草（貳兩炙）
右肆味以水柒升先煑麻黃一二沸去上沫内諸藥煑取
叄升去滓溫服壹升本云黃耳杯
傷寒吐下後七八日不解熱結在裏表裏俱熱時時惡風大
渴舌上乾燥而煩欲飲水數升白虎湯主之（方見雜療中）
傷寒吐下後未解不大便五六日至十餘日其人日晡所發
潮熱不惡寒猶如見鬼神之狀劇者發則不識人循衣妄
撮怵惕不安微喘直視脉弦者生澀者死微者但發熱譫
語與承氣湯若下者勿復服
大下後口燥者裏虛故也

霍亂病狀第八（壹拾證 方叄首）

問曰病有霍亂者何也答曰嘔吐而利此為霍亂
問曰病者發熱頭痛身體疼痛惡寒而復吐利當屬何病答
曰當為霍亂霍亂吐下利止復更發熱也
傷寒其脉微澀本是霍亂今是傷寒却四五日至陰經上轉
入陰當利本素嘔下利者不治若其人即欲大便但反失
氣而不利者是為屬陽明必堅十二日愈所以然者經竟
故也
下利後當堅堅能食者愈今反不能食到後經中頗能食復
一經能食過之一日當愈若不愈不屬陽明也惡寒脉微
而復利利止必亡血四逆加人參湯主之 方
四逆湯中加人參壹兩即是
霍亂而頭痛發熱身體疼痛熱多欲飲水五苓散主之寒多
不用水者理中湯主之 方（五苓散見結胸門）
人參 乾薑 甘草（炙） 白朮（各叄兩）
右肆味以水捌升煑取叄升去滓溫服壹升日叄服臍上
築者為腎氣動去朮加桂肆兩吐多者去朮加生薑叄兩
下利多者復用朮悸者加茯苓貳兩渴者加朮至肆兩半
腹中痛者加人參至肆兩半寒者加乾薑至肆兩半腹滿
者去朮加附子壹枚服藥後如食頃飲熱粥壹升微自溫
暖勿發揭衣被壹方蜜和丸如雞黃許大以沸湯數合和
壹丸研碎溫服日叄夜貳腹中未熱益至叄肆丸然不及湯
吐利止而身體痛不休當消息和解其外宜桂枝湯小和之
吐利汗出發熱惡寒四肢拘急手足厥四逆湯主之既吐且
利小便復利而大汗出下利清穀裏寒外熱脉微欲絕四
逆湯主之
吐已下斷汗出而厥四肢不解脉微欲絕通脉四逆加猪膽
湯主之 方
於通脉四逆湯中加猪膽汁半合即是服之其脉即出
無猪膽以羊膽代之
吐利發汗其人脉平而小煩此新虛不勝穀氣故也

陰易病已後勞復第七（柒證壹方四首 附方六首）

傷寒陰易之為病身體重少氣少腹裏急或引陰中拘攣熱
上衝胷頭重不欲擧眼中生花痂胞赤膝脛拘急燒褌散主
之 方
婦人裏褌近隱處燒灰
右壹味水和服方寸匕日叄小便即利陰頭微腫此為愈
大病已後勞復枳實梔子湯主之 方
枳實（叄枚炙） 梔子（拾肆枚擘） 豉（壹升綿裹）
右叄味以酢漿柒升先煎取肆升次內貳味煑取貳升內